갓
오브
블랙필드

갓 오브 블랙필드 ㉑

지은이 | MJ STORY 무장
펴낸이 | 권순남
펴낸곳 | (주)마야 · 마루출판사

등록 | 2008. 1. 7(제310-2008-00001호)

초판 2쇄 인쇄 | 2020. 11. 24
초판 2쇄 발행 | 2020. 11. 27

주소 | 서울특별시 노원구 동일로237가길 17, 신영산업 BD 602호
대표전화 | 02-2091-0291
팩스 | 02-2091-0290
이메일 | marubooks@mayabooks.co.kr

ISBN | 978-89-280-3314-0(세트) / 978-89-280-6210-2
정가 | 8,000원

잘못된 책은 교환하여 드립니다.
저자와 협의하여 인지를 붙이지 않습니다.

「이 도서의 국립중앙도서관 출판시도서목록(CIP)은 서지정보유통지원시스템 홈페이지(http://seoji.nl.go.kr)와 국가자료공동목록시스템(http://www.nl.go.kr/kolisnet)에서 이용하실 수 있습니다.」
(CIP제어번호:CIP2015020711)

갓 오브 블랙필드 21

MAYA&MARU MODERN FANTASY STORY
MJ STORY 무장 현대 판타지 장편소설

GOD OF BLACKFIELD

마야&미루

✻ 목차 ✻

제1장. 어머니, 미안해 …007
제2장. 어려운 전투다 …043
제3장. 결과를 지켜보지 …081
제4장. 당신을 믿습니다 …119
제5장. 멀리 간다 …159
제6장. 함께 가자 …195
제7장. 보고 있냐고? …233
제8장. 버튼만 눌러 …269
제9장. 고생 많았다 …307

갓 오브 블랙필드

제1장

어머니, 미안해

도움을 청하는 듯 시선을 돌렸던 셔먼이 다시 강찬을 보았다.

"무슈 강, 내가 내건 조건에는 이미 로망의 제거와 라노크의 구출이 포함되어 있소. 그 점을 감안해 주는 게 공평하지 않겠소?"

"셔먼."

셔먼은 불만을 그대로 드러낸 눈빛이었다.

"UIS 2천 명이다. 그들을 특수팀만 가지고 상대하기는 어려워. 그러니 내가 내건 조건이 불편하다면 미국에서 전투기를 보내."

"흠."

셔먼이 손익을 계산하는 것처럼 출입구를 보았다.

강찬은 그가 생각하는 동안 한 가지 문제를 더 해결하고 싶었다.

"양범 씨, 몽골 기지의 병력을 움직일 생각입니다. 이 작전 동안 몽골 기지 주변을 부탁드려도 되겠습니까?"

"러시아 쪽만 해결된다면 그렇게 하겠습니다."

답을 한 양범과 강찬이 동시에 바실리를 보았다.

"러시아 쪽은 내가 책임지지."

바실리가 뾰족한 얼굴로 답을 했다.

남은 것은 셔먼이었다. 그래서 당연하게 네 사람의 시선이 그를 향했다.

"알았소. 중국을 거쳐 들어가는 것으로 하면 아프가니스탄 주변국과 UN은 내가 책임지겠소."

셔먼이 결심한 듯 답을 건넸고, 그것으로 중요한 협상이 끝났다.

강찬은 확인하고 싶은 것이 있었다.

"로망을 끌어낼 방법은?"

"FBI가 프랑스인 출신 IMF 총재의 성매매 혐의를 수사하겠다고 나섰소. 협상을 위해서라도 로망은 움직일 수밖에 없을 거요."

무서운 새끼들!

역시 이 바닥에 오래 굴러먹은 놈들의 야비함은 상상을

초월한다.

"대사님을 구출할 계획도 알려 주지?"

강찬의 질문을 들은 셔먼이 루드비히에게 시선을 주었다.

"무슈 강."

약속이라도 했던 것처럼 루드비히가 입을 열었다.

"우리 특수팀 지젠느가 아프리카로 움직일 거요. 콩고 지역의 반정부 세력을 지원하고."

짤막하게 답을 한 루드비히가 다시 바실리를 보았다.

"우리 무기가 중앙아프리카 공화국에 들어갈 거다. 물론 공식적인 건 아니고, 무기상을 통해서 들어갈 텐데 정보총국 정도면 왜 이런 일이 벌어지는지 충분히 알 거다."

바실리가 이번엔 양범을 보았다.

독일과 러시아야 그럴 수 있다고 쳐도 중국이 힘을 쏠 일이 있나?

강찬의 시선을 확인한 양범이 나직하게 입을 열었다.

"조쉬가 제거되면 중국은 프랑스와 체결한 모든 경제 협력을 영국으로 돌릴 계획입니다. 그렇게 된다면 중국 횡단 고속철도 TGV는 물론이고, 강입자 충돌기의 구동에 필요한 원료의 구입이 완전히 막힙니다."

"하나 더 있소, 무슈 강."

양범의 말을 물고 루드비히가 입을 열었다.

"스위스에 예치된 프랑스의 정보 자금이 전부 공개되고

압류될 거요. 그렇게 된다면 프랑스 정권 자체가 바뀔 수도 있습니다."

강찬은 헛웃음이 나왔다. 그리고 궁금해졌다.

"이런 방법이 있는데 왜 대사님이 로리암에 들어가시는 걸 그냥 지켜본 거지?"

"말했잖나. 다윗의 별이 움직이게 하고 싶어 했다고."

강찬의 시선을 받은 바실리가 곧바로 말을 이었다.

"불행하게 라노크가 후임자로 선정한 인물이 무슈 강이었고, 우리는 우리 방식대로 따를 뿐이다. 이 이후에 벌어질 일이 모두 무슈 강과 한국의 부담으로 돌아간다는 것도 잊지 않았으면 좋겠다."

이 새끼는 말을 해도 꼭!

좋은 표현은 바라지도 않는다. 그렇다고 자신을 후계자로 삼은 걸 굳이 불행하다고 할 필요가 있을까?

강찬은 잠시 앉은 이들을 둘러보고는 담배를 하나 들어 입에 물었다.

찰칵.

불을 붙이고 라이터를 놓는 동안 누구도 입을 열지는 않았다.

"바실리."

바실리의 표정이 '뭐? 왜?' 하는 듯 도전적이었는데, 원래 그렇게 생겨 먹은 놈이라서 그걸 따지고 싶지는 않았다.

"정보국의 생리는 잘 모르겠다. 그런데 한 가지는 분명히 하자. 내가 대사님의 뒤를 따라서 지금처럼 이 모임을 주도하는 동안……."

네 사람이 꼼짝도 않고 강찬의 다음 말을 기다렸다.

"여기 있는 누구라도 위험에 빠지면 그것이 가장 중요하고 급한 일이 된다."

"주연께서 너무 감상적인 것 아닌가?"

"그럴 수도 있지."

강찬은 먼저 짧게 답을 했다.

"하지만 대한민국에 우리가 원하는 방향으로 차세대 에너지 시설이 완성된다면, 이후에 러시아, 중국, 독일, 스위스에 하나씩 더 지을 생각인 거 아닌가?"

욕심이 올라온 것처럼 셔먼이 빠르게 눈치를 살폈는데, 누구도 그에게 시선을 주지는 않았다.

"앞으로 수백 년 동안 세계 경제의 판도를 결정하는 일이라면, 그리고 그 긴 세월 동안 함께 가야 할 운명이라면……."

강찬은 연기를 뿜어낸 후에 다시 입을 열었다.

"적어도 이 정도 믿음은 있어야지. 대한민국에 차세대 발전 시설을 완성하고도, 내가 여기 있는 나라들에 다음 발전 시설을 지을 수 있도록 협조하겠다는 정도의 믿음."

"감동적이군."

바실리의 대꾸에 몰려오던 감동이 홱 달아나 버렸다.

개새끼.

바실리는 홍차 잔을 들었고, 양범과 루드비히는 담배와 시가를 집었다.

"이번 작전도 무슈 강이 직접 지휘하나?"

"그러려고."

"이건 원 위태위태해서 지켜볼 수가 있나?"

잔을 내려놓으며 바실리가 투덜거렸다.

"안드레이와 스페츠나츠 30명을 지원하겠다. UIS와 같은 테러 세력과 맞선 한국에 존경과 경의를 표한다는 의미이고, 작전이 끝나면 러시아 정부가 지금 말한 대로 발표할 거다."

"장강린을 기억하시죠?"

프랑스에서 함께 교육받던 동기를 잊을 리야 있겠나.

양범의 질문에 강찬은 '예.'라고 답을 했다.

"장강린과 스노우 울프 30명을 지원하겠습니다."

강찬이 피식 웃은 다음이었다.

"레온과 지젠느 30명이 참가할 예정입니다."

루드비히가 말을 보탰다.

이러면 인원수가 너무 많아지는데?

강찬보다 셔먼이 더 당황한 얼굴이었다.

"이건 약속이 달라."

"미국은 한국의 특수팀, 스페츠나츠, 화이트 울프, 지젠느 틈에서 더 확실하고 안전하게 공을 세운다. 그게 어째서 불만인 거지?"

그러나 바닥에 떨어지지도 않은 셔먼의 항의를 바실리가 단숨에 잡아서 뚝 잘라 버리는 바람에, 그는 다른 말을 하지 못했다.

"이 작전에 성공하면 다윗의 별도 더는 꼬리만 흔들기는 어려울 거다. 그러니 이번 작전을 반드시 성공해야 한다. 우리는 그동안 무슈 강의 지시대로 조쉬와 로망을 제거하고, 라노크를 데려다 놓겠다."

이어서 몇 가지 세부적인 이야기들을 나누느라 시간이 흘렀다. 짬짬이 셔먼이 차세대 발전 시설에 대해 끼어들려고 했는데, 바실리가 잔인하게 잘도 잘라 댔다.

⚜   ⚜   ⚜

이슬람 국가에 파견된 국가정보원 요원들은 목숨을 내놓다시피 뛰고 또 뛰었다.

UIS가 2천 명 가까이 아프가니스탄에 집결한 이유, 수뇌부의 정확한 위치, 그리고 그들의 목적을 알아내기 위해서였다.

국가정보원 이집트 분실.
"너무 위험해."
이집트 분실장은 고개를 저었다.

기존의 요원들 모두 지난번 위성 좌표를 얻는 작전에서 총상을 입었다. 멀쩡한 요원은 달랑 신입 요원 둘밖에 없는 거다.

"실장님, 이대로 지켜보다가 저놈이 제거되면 정말 끈이 끊깁니다. 그리고 좌표를 어떻게 얻었는지 알아보라는 명령이 내려왔을 때는 그만큼 중요해서 그런 것 아니겠습니까? 제가 여기 신입 2명과 움직이겠습니다."

분실장이 다시 고개를 저었다.

오른쪽 팔뚝과 정강이를 붕대로 감싼 엄지환에게 신입 2명을 붙여서 내보내? 아무리 중요한 정보원을 얻는 일이라 해도 너무 위험한 계획이었다.

"저놈은 그냥 떠도는 정보원이 아니라 A급입니다. 그리스군 정보국과 바로 통하는 놈이 도움을 청한 겁니다."

"엄지환, 너도 아직 제대로 적응 못한 거야. 너는 그렇다고 치자. 여기 신입 2명은 지리도 몰라. 그리고 상황을 몰라? 다들 부상이 심해서 지원도 불가능해."

엄지환에게 실장은 직급을 떠나 하늘 같은 선배인 데다 이집트에서 잔뼈가 굵은 베테랑이었다. 게다가 그의 말에 틀린 구석도 없다.

엄지환은 고개를 떨궜다. 답답했다.

정보원이 도움을 요청한 일이다. 어떻게 위성 좌표를 구했는지, 그 실마리가 어디에서 나왔는지를 알 수 있는 마지막 기회일지 모른다.

분실장 역시 그 점을 잘 알고 있었다. 하지만 지금은 요원들이 턱없이 부족했다.

지원이 없냐고? 특수 요원의 숫자를 갑자기 불린다는 게 말처럼 쉬운 일이 아니다.

"너 이집트어는 어느 정도냐?"

그때, 분실장이 신입 직원에게 질문을 던졌다.

"어지간한 비속어는 모두 알아듣습니다."

"훈련은?"

"606 거쳐서 대테러팀에 2년 있었습니다."

분실장이 또 다른 신입에게 시선을 주었다.

"영어에 자신 있고, 이집트어는 주문 정도 합니다. 3공수와 606을 거쳤습니다."

"커피 좀 타 와라."

모르는 사람이 들었으면 3공수와 606이 바리스타 교육 기관인 줄 알았을 거다.

분실장의 지시에 신입 둘이 구석으로 움직였다.

커피라 봐야 종이컵에 봉지 커피 털어 넣고, 뜨거운 물 붓는 게 전부인 거다.

봉지 커피의 향이 사무실에 퍼지고, 잠시 후에 신입이 각각 양손에 커피를 들고 와서 분실장과 임지환의 앞에 놓아주었다.

"이후 접촉은?"

"정 선배가 뒤를 쫓고 있습니다. 명령만 내리시면 바로 챌 수 있습니다."

엄지환의 답에 분실장이 다시 한숨을 푹 내쉬었다.

임지환이 말한 정 선배는 가슴에 총상을 입어서 걷기조차 어려운 상태였다. 그런데도 악착같이 정보원의 뒤를 따라다니고 있었다.

"반대일 수도 있어. 저쪽과 손을 잡고 우리를 끌어내리려는 함정일 수 있다. 그러면 정말 위험해져. 나, 너, 그리고 신입 둘이……."

분실장이 종이컵을 든 채로 말을 잇지 못했다. 시선을 돌리던 분실장과 신입 요원의 눈이 마주쳤다.

"한 말씀 드려도 됩니까?"

"얘기해 봐. 뭔데?"

"우리나라에서 테러가 있었습니다. 그리고 국제빌딩에서 동기 한 명을 잃었습니다. 제가 움직여서 그런 희생을 막을 수 있다면, 새로 와서 모든 것이 낯설지만, 제 안위보다는 어느 것이 나라를 위한 결정인지 살펴 주셨으면 합니다."

이집트 말에 자신 있다던 신입 요원의 말이었다.

"야 인마."

"죄송합니다."

"거기 담배나 줘 봐."

분실장은 신입이 건네주는 담배와 라이터를 들고 세 사람을 노려보았다.

"다들 담배 피우지?"

"예."

답이 떨어지기 무섭게 분실장이 담배를 주르륵 돌렸다.

찰칵.

그리고 라이터를 켜서 내밀었다.

송구한 일이다. 군 경력도, 그리고 국가정보원 특수 요원으로도, 하늘 같은 선배가 담뱃불을 붙여 주는 건.

엄지환과 신입 2명이 손으로 가려가며 불을 붙였다.

"후우, 생각을 바꿔. 무조건 목숨을 거는 게 중요한 게 아냐. 너희가 국가의 중요한 자산이라는 걸 잊지 마."

"알겠습니다."

신입 2명이 조심스럽게 답을 한 다음이었다.

담배 연기를 뿜는 것처럼 분실장이 깊게 한숨을 내쉬었다. 그 역시 목덜미에 피가 번진 거즈가 붙었고, 허리에도 두툼하게 붕대를 감고 있었다.

"우리 넷이서 정보원을 잡아챈다 이거지?"

엄지환을 힐끔 쳐다본 분실장이 윗입술을 빨아들이며 무언가를 계산했다.

산전수전 다 겪은 남자의 눈매는 무섭다.

"후우."

분실장은 다시 담배를 깊게 빨아들였다가 내뿜었다.

위험하다. 정보원이 저렇게 먼저 살려 달라고 연락한 일은.

그런데 어떻게 위성 좌표를 얻게 되었는지 알게 된다면, 그리고 UIS가 왜 저렇게 모였는지를 알 수 있다면 함께 담배를 피우는 네 사람의 목숨을 걸 만한 일이기도 했다.

지원을 요청해?

분실장은 내심 고개를 저었다.

아프리카와 이집트, 중동 지역은 어느 한 곳 인원이 부족하지 않은 곳이 없다. 지금까지 이토록 활발하게 활동해 본 적이 없기 때문이었다.

기껏해야 첩보 얻으러 다녔고, 충돌이 있을라치면, 총격전이 벌어질라치면, 뒷수습을 감당하기 위해서라도 도망 다니기 바빴었다.

리비아에서 벌어진 전투가 그래서 고맙고, 자랑스럽다.

조국이, 대한민국이, 파견한 요원들을 얼마나 소중하게 생각하는지를 전 세계 정보국에 보여 주었기 때문이다.

"후우."

분실장이 다 피운 담배를 종이컵에 넣었다.

⚜　　　⚜　　　⚜

성남 공항에서 바실리 일행을 배웅한 강찬은 곧바로 삼성동으로 향했다. 무엇보다 회의 내용을 목 빠지게 기다리고 있을 김형정을 위해서였다.

처음부터 문재현과 황기현을 직접 만나자고 해 볼까 했는데 김형정을 무시하는 모양이 될까 봐 그러지는 못했다.

상황은 분명했다.

궁금한 것은 도대체 왜 UIS가 저렇게 집결해 있느냐는 건데 그 답을 바실리나 양범, 셔먼, 그리고 루드비히까지 명쾌하게 내리지 못하고 있었다.

사람 참!

덩어리가 커지니까 그 안에 별의별 음모와 욕심이 뒤엉킨다.

삼성동에 도착한 강찬은 곧바로 5층으로 올라갔다.

"고생하셨습니다."

기다리고 있던 김형정과 함께 사무실로 들어간 강찬은 점심을 먹으며 있었던 말들을 전부 전해 주었다.

함께한 시간이 이 정도면 적응할 만도 한데, 김형정은 역시나 커다랗게 놀란 얼굴로 강찬을 바라보았다.

"정말 전투기를 동원할 생각이십니까?"

"적의 숫자를 감안하면 폭격은 반드시 있어야 합니다."

"그렇기는 하지요."

받아들이기는 어렵지만, 받아들일 수밖에 없는 김형정의 심정이 그의 답에 고스란히 담겨 있었다.

"그럼 전 사무실에 가 있을게요."
"예. 보고 마치는 대로 전화드리겠습니다."
"그러세요."
김형정과 헤어진 강찬은 다시 사무실로 움직였다.

"어서 오쇼."
석강호가 궁금한 얼굴로 강찬을 맞았다.
"커피 한 잔 드릴까?"
"세수하고."
강찬은 재킷을 걸어 두고 샤워실로 가서 양치와 함께 간단하게 얼굴을 씻었다.
"푸우!"
고개를 들자 거울 속에서 눈빛을 빛내고 있는 자신이 보였다. 지금은 익숙해질 대로 익숙해진 얼굴이었다.
물이 떨어져서 셔츠의 앞을 적셨는데 상관없었다.
'자신 있냐?'
강찬은 거울 속에 서 있는 자신에게 질문을 던졌다.
적 2천 명. 적지는 아프가니스탄.
러시아, 중국, 독일의 특수팀이 가세하고, 미국이 꼬리에 매달린다.
전투기까지 동원하는 대규모 작전이다.
그동안 수많은 전투를 치렀고, 다시 태어나서 김형정이

몸서리를 칠 만한 작전도 뛰었다. 당장 아프리카에서도 600명의 쿠드스를 상대했었다.

그러나 이번 전투는 차원이 다르다.

달려드는 쿠드스 600명과의 전투와 아프가니스탄의 한 지역을 장악하고 저항하는 UIS 2천 명을 상대하는 것은 전혀 다른 일이다.

대규모 전투의 지휘? 2.5톤 트럭을 멋지게, 능숙하게 운전한다고 해서 어느 날 갑자기 25톤 덤프를, 트레일러를 마음대로 끌 수는 없는 게 아닐까?

전투에서 지휘관의 실수는 소중한 대원과 요원들의 목숨을 삼킨다는 것을 누구보다 잘 아는 강찬이다.

자꾸만 일이 커진다. 지휘부를 제거하겠다고 결심한 순간에 놈들이 꾸역꾸역 아프가니스탄에 모여 있는 거다.

이상하게 찜찜한 무언가가 어깨에 매달려서 떨어지지 않는 느낌이었다.

강찬은 선반에서 수건을 꺼내 얼굴을 닦았다.

피식.

이제 와 물릴 것도 아니면서! 다른 사람이 이런 말을 하면 일단 때려 놓고 보자고 달려들 거면서!

강찬은 거울 속의 자신을 노려보았다.

'한 놈 남김없이 죽음의 신을 만나게 해 주면 되는 거다. 그래서 다시는 이쪽으로 총구를 들이대지 못하게! 알았지?'

거울 속의 강찬이 피식 웃었다.

샤워실을 나오자 석강호가 머그잔 2개를 놓고 강찬을 기다리고 있었다.

"갔던 일이 잘 안 됐소?"

"아니. 왜?"

"대장 표정이 어째 심상치 않아서 그렇소."

강찬은 털썩 테이블 앞에 앉아서 창밖으로 시선을 두었다.

"적의 숫자가 마음에 걸려서 그래. 막상 붙는다고 생각하니까 이 정도를 지휘해 본 적이 없구나 싶기도 하고."

석강호가 히죽 웃으며 머그잔을 입으로 가져갔다.

"제라르 새끼가 대원들 희생을 염려하는 것 같다고 하더니 정말 그런 거요?"

강찬은 힐끔 석강호를 보았다.

이놈이 제라르와 그 정도로 복잡한 대화를 나눴다고? 어떻게?

의문은 바로 풀렸다. 안쪽에 있는 사무실에서 제라르와 함께 나온 정장 차림의 남자를 보고 나서였다.

통역 대원이었다. 손가락을 2개나 잃은.

고개 숙여 인사하는 대원을 보며 강찬은 픽 하고 웃음이 나왔다.

"저 녀석, 국가정보원에 취직된 거요."

"언제?"

"어? 아침부터 나왔소. 김 팀장이 말 안 합디까? 지난번에 왔을 때 내가 불편하다고 툴툴거렸더니 안쪽 위성 요원들 통역도 할 겸 해서 고용한 거요."

그 양반도 일이 많아서 그런지 이걸 잊고 있었던 모양이다.

아무튼, 필요한 때 적절한 인물이 나타난 것만은 분명했다. 파병을 함께했던 믿을 수 있는 인물이라는 게 가장 마음에 들었다.

"제라르, 위성사진 좀 확보했어?"

"의심 지역을 샅샅이 뒤지고 있는데 확실하다 싶은 건 아직입니다."

통역 대원이 강찬과 제라르의 대화를 석강호에게 전해주고 있었다.

이건 정말 편하다.

"계속 감시해."

"지시해 놨고, 제가 옆에서 챙기겠습니다."

제라르의 답을 들은 강찬이 고개를 끄덕였다.

김형정이 고건우와 면담이 끝나면 작전이다.

강찬은 빌딩 너머의 하늘을 보았다.

강대경과 유혜숙은 잘 있을까? 문득 두 사람의 얼굴이 떠올랐다.

그립다. 그리고 보고 싶다.

눈물 많은 유혜숙이 울고 있지는 않을지…….

어머니, 미안해 • 25

그때, 사무실 문이 열리는 소리가 들려서 강찬은 생각을 멈추고 고개를 돌렸다.

벌써?

뜻밖에도 김형정이 들어서고 있었다.

⚜ ⚜ ⚜

"너 다시 한 번 말해 봐."

"엄 선배와 정보원을 잡으면 확인하고 바로 움직입니다. 우선 1차 거점, 그곳이 위험하다고 판단되면 엄 선배와 함께 안전 가옥으로 도주합니다."

"안전 가옥 위치는?"

"알 갈라고 사거리에 있습니다."

"그쪽이 어려우면?"

"알 갈라사의 위장 상점으로 움직입니다."

"무기는?"

"왼쪽 발목과 허리에 권총, 오른쪽 발목에 대검을 걸었습니다."

답을 들은 분실장이 탄창을 확인한 후에 권총을 허리에 걸었다. 웃옷을 들었을 때 그의 허리에 감은 붕대 한쪽이 피로 붉게 물들어 있었다.

"엄지환."

"예."

엄지환이 고개를 들었다.

"알지?"

"예."

엄지환의 답을 들은 신입 2명이 눈치를 살폈다. 뭘 아느냐고 물었는지, 무엇을 알았다고 하는 건지 알지 못해서였다.

반대로 분실장은 눈이 타오르는 것처럼 빛났고, 엄지환은 입술을 꾹 다물고 있었다.

엄지환은 이제야 확실히 알 수 있었다. 전에 작전에 나설 때 분실장이 지금 같은 질문을 왜 선배들에게 던졌는지 말이다.

'후배들을 먼저 챙긴다.'

'염려 마십시오.'

최선을 다해 지켜 준다. 그래서 이들이 또 다른 누군가에게 경험을 전달하게 해 준다.

"무전기 확인해."

치잇. 치잇. 치잇. 치잇.

각자 순서대로 무전기의 버튼을 누르는 것으로 준비가 모두 끝났다.

"승인 나지 않을 것 같아서 보고조차 안 했을 만큼 위험한 작전이다. 괜찮다. 부끄러운 일 아니다. 그러니 마지막으로 빠지고 싶은 사람은 조용하게 자리에 앉아라."

분실장이 엄지환과 두 신입 요원을 굳은 얼굴로 돌아보았다.

잠시 침묵이 흐른 다음이었다. 분실장이 문을 향해 몸을 돌렸다.

⚜   ⚜   ⚜

"대통령님께 보고까지 모두 끝났습니다. 해외 폭격을 위한 전투기의 출격이 이전까지 한 번도 없어서 그에 따른 지휘 체계와 법적 절차만 남았습니다."

김형정이 무거운 얼굴로 보고처럼 말을 건넸다.

"대통령님께 보고가 끝난 직후에 증평 특수팀, 606 특임대대, 국가정보원 대테러팀은 모두 비상대기에 들어갔습니다. 인원이 결정되면 바로 국가정보원 파견으로 처리할 예정입니다."

강찬은 화이트보드에 붙여진 아프가니스탄의 지도를 날카롭게 노려보았다.

"팀장님, 출발 전에 증평 특수팀과 606, 대테러팀의 지휘관을 먼저 만날 수 있을까요?"

"장소는 이곳으로 하실 겁니까?"

아무래도 사무실에서 보는 것은 좀 그렇다.

"그러지 말고 국가정보원 지하에 있는 회의실에서 만났

으면 싶은데요. 가능할까요?"

"가능할 겁니다. 시간은 언제로 하시겠습니까?"

"내일 오전이 좋겠습니다. 10시쯤?"

"준비되는 대로 알려 드리겠습니다."

대화를 나누는 동안에도 제라르가 두 번이나 나와서 지도에 적의 수뇌부 이름과 예상되는 병력을 빠르게 적어 댔다.

가까워지고 있었다. 작전에 나설 시간이.

⚜   ⚜   ⚜

건물의 2층에서 내려다보이는 식당이었다.

"저 안에 있다."

정보원을 미행하던 선배 요원은 얼굴에 핏기가 하나도 없었다. 식은땀을 흘리지 않았다면, 눈을 뜨고 있지 않다면 엄지환도 '죽었나?' 싶었을 정도였다.

"현재 안에 있는 손님은 저놈 말고 3명이다. 주방 직원을 둘로 잡고, 서빙과 주인을 계산하면 대략 6명, 최악의 상황에 기본적으로 6명이 적이고, 누가 더 숨어 있을지는 모르는 상황이다."

말을 마친 선배 요원이 이를 악물며 창틀을 잡았다. 주저앉을 것을 겨우 버티는 모양이었다.

"저놈을 엮어 내는 데 10년을 공들였어. 지난번 총격전 이후로 숨어 다니던 놈이 먼저 연락한 거니까 대략 80퍼센트의 확률로 우리 쪽에 붙을 거다."

엄지환이 식당을 향해 고개를 돌렸을 때였다. 그의 어깨로 선배의 손이 올라왔다.

"함정일 수도 있어. 저놈들 기지를 우리가 습격한 꼴이라 사고가 나도 우리는 항의조차 못한다."

죽어 가는 사람의 눈에 담긴 의지를 본 적이 있나?

본인이 직접 달려들지 못하는 것이 너무나도 억울한 눈빛, 후배들만 달랑 들여보내는 것이 분하고 분해서 죽을 수조차 없는 남자의 눈빛.

'최대한 빠르게 데려오겠습니다.'

엄지환은 선배의 눈을 똑바로 보았다. 그리고 그가 지닌 불같은 의지를 전했다.

⚜   ⚜   ⚜

전쟁터를 방불케 했다.

러시아, 중국, 독일에 이어 미국에서조차 각종 정보가 물밀듯 밀려들었다.

아프가니스탄 사리차 로드(Saricha Road)를 따라 판즈셔강(Panjshir River) 인근 루카(Rukha) 지역.

산악 지역이라 몸을 숨길 곳이 많았고, 무엇보다 토굴을 주의해야 했다.

"대장, 저격수 숫자가 장난이 아닙니다."

제라르가 바삐 강찬에게 서류를 가져왔다.

미국이 보내 준 정보에는 저격수의 대략적인 숫자와 그중 확실하게 파악된 명단이 들어 있었다.

저격수는 골치 아프다. 그것도 산악 지역에서 몸을 숨긴 저격수는 아군에게 치명적인 요수 중 하나였다.

쿠드스 출신만 30명이 넘는 데다, 다른 특수부대 출신까지 합하면 모두 60명이 넘는 저격수가 루카에 있었다.

"후우, 파악된 놈들이 60이라면 분명 수뇌부를 지키는 놈들이 더 있을 거다. 일단 지도에 표시하고, 내일 오전에 내가 가져갈 수 있게 USB에 지금까지 표시한 목록을 담아 놔."

"예."

제라르가 다시 사무실 안쪽으로 움직였다.

석강호마저 의아한 눈으로 지도를 노려볼 만큼 UIS의 집결은 상식을 벗어난 것이었다.

"대장, 저 새끼들, 아무래도 장기전을 준비하는 것 같지 않소?"

강찬은 우선 고개를 끄덕였다.

"장기전이 문제가 아냐. 저 정도 인원이면 화력도 장난이 아닐 텐데, 아직 미사일이나 다른 무기가 파악되지 않았거든. 그리고……."

강찬은 잠시 뜸을 들인 후에 다시 입을 열었다.

"저렇게 모이면 다른 정보국들이 어차피 다 알게 된다. 그런데도 굳이 저 지랄을 할 때는 무언가 이유가 있는 거다. 우리나라를 치려고 모인 건 아닐 테고. 그게 뭔지 알아야 제대로 대응을 할 텐데."

석강호가 강찬의 말을 듣고는 휙 지도를 노려보았다.

1,200명.

특수부대 출신의 저격수 60명.

그렇다면 단순 민병대 수준을 완전히 벗어났다는 말이 된다.

1,200명 중 60명이라니까 별것 아닌 것처럼 보인다. 그러나 특수부대를 제대할 정도의 저격수라면 경력이 짧게는 7년, 길게는 15년 이상이라는 것을 생각하면 엄청난 부담이었다.

무슨 짓을 하려는 거지?

원하는 게 뭐지?

웅웅웅. 웅웅웅. 웅웅웅.

그때 강찬의 전화가 울며 강찬의 생각을 깨웠다.

"여보세요?"

[내일 오전 10시에 국가정보원 지하 회의실로 1차 브리핑을 잡았습니다. 전투 비행단 소령 2명도 참석할 예정입니다.]

"비밀 유지에 문제없을까요?"

[소령 두 분의 신원은 국가정보원에서 보장할 정도로 두텁습니다.]

"예. 그럼 내일 뵙지요. 참! 샤흐란은 아직도 의식이 없나요?"

[워낙 마약에 의지해서 움직였을 만큼 망가졌던 몸이라 산소호흡기를 떼면 바로 사망할 수도 있다는 의견이었습니다. 다시 한 번 확인하겠습니다.]

개새끼!

죽기 직전에 목을 비틀어 주는 한이 있더라도 절대로 곱게 죽게 하고 싶지는 않았다.

"어떤 경우에도 산소호흡기 붙여 두라고 말해 주세요. 적어도 죽는 것을 제가 직접 확인할 수 있었으면 싶습니다."

[그렇게 지시하겠습니다.]

전화를 내려놓은 강찬은 다시 지도를 보았다.

아비부를 한 번 더 족쳐 봐?

강찬은 고개를 저었다.

어설프게 아프가니스탄에 UIS가 모여 있다는 사실을 알게 되면 놈이 어떻게 변할지 모른다.

⚜ ⚜ ⚜

엄지환은 신입 요원과 함께 건물을 나섰다.

이집트의 햇살이 창날처럼 내리꽂혔고, 그 아래를 걷는 사람들에게서 훅 하고 특유의 향신료와 땀 냄새가 풍겼다.

차와 사람, 길가에 늘어놓은 골동품과 자질구레한 물건들이 뒤엉켜서 넓지 않은 도로는 냄새만큼이나 복잡하고 어수선했다.

치잇.

[진입해. 절대 무리하지 마라.]

무전을 들은 엄지환이 신입 요원을 보았다. 그리고 길을 가로지르기 시작했다.

날카롭게 날이 섰지만, 최대한 태연한 척 내디디는 걸음이었다.

도로 폭은 짧았고, 가게는 작았다.

짙은 황토색의 나무로 된 문 앞에서 엄지환은 다시 한 번 신입 요원을 보았다.

'준비됐지?'

다부진 신입 요원의 눈빛을 보며 엄지환은 손을 뻗었다.

대한민국이, 강찬이, 석강호가 기다리는 정보가 이 가게 안에 있을지 모른다.

테러를 막을 수만 있다면, UIS의 집결 이유를 알 수만 있다면…….

무슨 일이 있더라도 손에 넣어서 전해 주고 싶었다.

끼이익.

문을 열고 들어가자 어둠이 먼저 달려들었고, 이후로 테이블 4개가 천천히 눈에 들어왔다.

 손님은 두 테이블.

 엄지환은 빠르게 식당 내부를 훑고, 혼자 앉아 있는 테이블로 시선을 주었다.

 본능을 자극하는 서늘한 분위기.

 안쪽 테이블에 앉은 3명의 날카로운 눈동자.

 손님이 들어왔는데도 긴장한 표정으로 지켜보기만 하는 주인.

 '잘못됐다!'

 권총을 뽑고 싶었다.

 하지만 황야의 무법자가 아닌 다음에야 뭐가 어떻게 돌아가지는 알아봐야 했다.

 엄지환이 신입 요원을 바라본 후, 식당 주인에게 고개를 돌리는 순간이었다.

 철커덕!

 테이블에서 소총 소리가 들렸다.

 콰악! 콰다당!

 엄지환은 신입 요원을 들이받았다.

 철컥!

 그리고 곧바로 허리의 권총을 뽑았다.

 투두두둑! 퍼버버벅!

적의 소총이 불을 뿜었고,

타앙! 퍼억! 타앙! 퍼억!

엄지환은 권총의 방아쇠를 당겨 두 놈을 쓰러트렸다.

오른팔을 다치지만 않았더라면…….

두 놈을 쓰러트리는 순간에,

타앙! 타앙! 타앙!

신입 요원이 남은 한 놈을 향해 3발의 권총을 발사했다.

"빨리 정보원 확보해!"

엄지환은 악을 썼다.

명치와 오른쪽 가슴이 뜨끔뜨끔했는데, 당장 신경 쓸 겨를은 없었다.

와락!

신입 요원이 혼자 앉아 있던 남자의 소매를 끌어당겼을 때였다.

콰자작!

문이 부서지며 한 덩어리의 남자들이 식당 바닥에 나뒹굴었다.

엄지환은 권총을 겨눴다.

분실장과 신입 요원이 이집트 남자 3명과 뒤엉킨 채 대검을 휘두르고 있었다.

푸욱! 푹! 푹! 푹!

방아쇠를 당기지는 못했다.

분실장이 대검으로 적의 목을 연달아 찌르고 신입 요원이 적의 심장을 찌르는 것만 보았다.

'어? 왜……?'

털썩!

엄지환은 바닥에 무릎을 꿇는 자세로 무너졌다.

"야! 야 인마! 엄지환!"

피투성이가 된 분실장이 그의 상체를 안았는데 엄지환의 눈에는 문을 통해 들어오는 햇살만 겨우 보였다.

"크르륵."

말을 하고 싶었다. 그런데 피 거품이 먼저 올라왔고, 이어서 울컥하고 피만 올라왔다.

"저놈 데리고 올라가! 서둘러!"

분실장의 고함에 신입 요원 둘이서 정보원을 끌고 문을 나섰다.

됐다. 저놈을 확보했으니 정말 된 거다.

정보원이 가진 정보로 테러를 막을 수 있었으면 싶었고, UIS가 집결한 이유도 얻었으면 싶었다.

뒤에 남은 일들은 강찬과 석강호가 멋지게 해결해 줄 거다.

"야! 인마! 조금만 버텨! 야! 엄지환!"

문으로 들어온 햇살이 세상에 가득 찬 것처럼 엄지환은 환한 빛만 보였다.

'아야! 객지에서는 야, 끼니때 꼭 국물을 챙겨라, 잉! 그래야 몸이 안 상해야.'

좁은 빌라 앞에서 손을 놓지 못하고 매달리던 노모의 목소리가 들렸다.

'어머니. 미안해.'

'그게 뭔 소리다냐! 모다 나보고 아들 덕에 호강한다고 했쌌는데!'

시장 바닥에서 얼어 가며, 더운 날엔 녹아 가며 고생스럽게 키워야 했던 아들이 밉거나 원망스럽지는 않았을까?

'어디 아픈 거 아니지? 꿈에 너 보이면 야! 난 온종일 암 것두 안 넘어가야.'

가방을 들어 준다고, 집 앞에서 차 타는 것을 보겠다고, 쪼그라든 몸으로 끝까지 따라 나오던 늙은 어머니.

'이번에 가면 언제 온다냐?'

'어머니, 나 하나도 안 아프니까 너무 힘들어하지 마.'

'아야! 왜 그랴? 왜 무섭게 그랴?'

"야! 야 인마! 엄지환!"

분실장이 이를 악물며 엄지환을 어깨에 짊어졌을 때였다. 그의 고개가 힘없이 아래로 뚝 떨어졌다.

⚜   ⚜   ⚜

더할 수 없을 만큼 많은 자료가 사무실에 모였다.

확대한 루카 지역의 지도에 위성으로 확인한 병력과 정보국이 보내 준 자료들을 기입하자 전체적인 윤곽도 나왔다.

"저녁이나 먹고 합시다."

통역 대원까지 소매를 걷어붙이고 정보를 챙기는 사이, 석강호가 불만을 터트렸다.

창밖이 어둑어둑해지고 있었다.

"알아서 좀 시켜."

"나중에 딴소리 마쇼."

석강호가 우희승을 향해 움직였을 때였다.

웅웅웅. 웅웅웅. 웅웅웅.

강찬의 전화기가 울었다.

왜 이러지?

어깨에 매달렸던 찜찜함이 끈적하게 들러붙는 느낌을 받으며 강찬은 전화기를 들었다.

"여보세요?"

[김형정입니다.]

복잡한 음성이었다.

강찬이 숨을 들이마실 때 수화기를 통해 그의 음성이 이어졌다.

[이집트에서 위성 좌표를 구할 때 연결점이었던 정보원을 확보했다는 보고가 있었습니다. 무기 밀매상 이반 드리트리

예비치 례배제브(Иван Дмитриевич Лебедев)가 OTP를 러시아에 판매하려고 했다는 내용입니다.]

"그 정도 거래를 할 놈이면 잔챙이는 아니겠네요?"

[전 세계적으로 유명한 인물입니다. 그리고 정보원이 보호를 조건으로 또 다른 정보를 제시하긴 했는데 아직 확인은 못했습니다.]

"뭔데요?"

[UIS가 이번에 집결한 이유가 아프가니스탄에 신생 독립국을 선포할 계획이라고 합니다. 그에 맞춰서 전 세계에 동시다발적으로 테러를 계획했고, OTP는 그때 핵미사일을 발사하기 위한 것이라는 정보입니다.]

미친 새끼들!

강찬은 어이없는 심정으로 화이트보드에 걸린 지도를 보았다. 그러나 UIS라면 능히 그러고도 남는 집단이란 생각도 들었다.

[부원장님.]

그때, 갑자기 축 가라앉은 김형정의 음성이 들렸다.

찜찜한 이유가 이거였구나.

강찬은 대답하지 않고 다음 말을 기다렸다.

[정보원을 확보하는 과정에서 엄지환 요원이 현장에서 사망했다는 보고도 함께 들어왔습니다.]

시선을 돌린 곳에서 석강호가 우희승에게 저녁 메뉴를 떠

들어 대고 있었다.

[인원이 턱없이 부족했습니다. 특수 요원의 숫자를 단기간에 불릴 수도 없어서 현재 중동, 아프리카 지역은 특수 요원의 숫자가 엄청나게 부족합니다.]

강찬은 먼저 나직하게 숨을 내쉬었다.

"알겠습니다."

[또 연락드리겠습니다.]

"예. 고생하셨어요."

전화를 내려놓은 강찬이 고개를 들었다.

"뭔 전화요?"

석강호가 히죽거리며 테이블로 다가오고 있었다.

"표정이 또 왜 그래요?"

"다예."

강찬의 표정을 본 석강호가 바로 웃음을 지웠다.

최종일, 우희승, 이두범, 그리고 무언가 자료를 가지고 화이트보드로 향하던 통역 대원까지 강찬에게 집중하고 있었다.

"이집트에서 정보원을 찾았고, 중요한 정보가 넘어왔다."

'이집트'란 이름이 나오는 순간, 석강호의 눈빛이 번들거렸다.

"지환이가 그 작전에서 사망했단다."

꽈악!

이를 얼마나 세게 악무는지 석강호의 양쪽 볼 안쪽이 경련을 일으키는 것처럼 떨렸다.

　잠시 무거운 침묵이 흐른 다음이었다.

　석강호가 테이블로 다가와 자리에 앉았고 담배를 물었다.

　분하고, 화나고, 억울하고, 안타까운 심정이 그의 행동에 고스란히 드러나 있었다.

　찰칵. 찰칵.

　석강호가 불을 붙였다.

　이래서 누군가를 마음에 담는 건 무서울 만큼 힘겨운 일이다. 이런 삶에서는 말이다.

　"후우."

　그가 뱉어 낸 담배 연기가 환풍기를 향해 소용돌이치며 올라갔다.

제2장

어려운 전투다

저녁을 먹는 동안 누구도 입을 열지 않아서 포크와 나이프, 젓가락 움직이는 소리만 간간이 울려 나왔다.

하필이면 이런 때 돈가스를 주문해서는.

강찬은 버릇대로 쓱쓱 썰어 놓고 젓가락으로 돈가스와 밥을 번갈아 먹었다.

"지환이가 상대했던 놈이 누군지는 아쇼?"

강찬이 두 점 남은 돈가스 조각을 한꺼번에 집었을 때 석강호가 나직하게 질문을 던졌다.

"정확하게 파악되지는 않은 모양이다."

"대장, 그 새끼들을 좀 알아줄 수 있겠소?"

강찬은 돈가스를 씹으며 나직하게 한숨을 내쉬었다.

다들 음식을 먹고 있는 척했지만, 눈과 귀는 강찬을 향해 있었다.

"다예."

"예."

석강호가 젓가락을 내려놓고 강찬을 보았다.

"안타까운 건 나도 마찬가지다. 하지만 정당한 작전이나 전투에서 희생된 복수를 일일이 하러 다니면 우리는 그냥 갱단과 다를 바 없어. 더구나 억울하게 살해된 것도 아니고 우리 쪽에서 정보원을 확보하기 위해 달려든 일에 특수팀을 동원하는 건 무리야."

석강호가 굳은 얼굴로 먹다 남은 돈가스에 시선을 주었다.

음식을 남겼을 정도. 지금 석강호의 심정을 저만큼 확실하게 보여 주는 게 또 있을까?

강찬은 병아리를 잃었던 아프리카의 전투를 떠올렸다. 그때 다예가 말리지 않았다면 분명 빈정대던 놈을 죽였을 거다.

답답할 거다. 숨 막힐 거다.

엄지환을 죽게 만든 조직 전체를 무너트리고 싶을 거다.

"확!"

통역이 제라르의 귀에 대고 속삭이듯 말을 전하다가 뻘쭘한 얼굴로 돈가스 접시를 바라보았다.

"이번만이야."

석강호가 놀란 듯 고개를 들었고, 통역 대원에게 말을 전해 들은 제라르가 눈 끝에 웃음을 머금고 있었다.

"UIS와의 전투는 지금까지와 달라. 지환이가 죽어 가면서 보내 준 정보대로라면 놈들은 민병대가 아니라 반정부군 수준이다."

아프리카에서 넌덜머리 나도록 경험했던 일이다.

부족을 이끌고 새로운 정부를 세우겠다고 악쓰는 반군이 얼마나 잔인하고 위험한지를 말이다.

굳이 말하지 않아도 석강호나 제라르는 충분히 짐작하고 남는 일이었다.

"마음잡고 있어. 지환이의 희생이 너에게 맡길까 했던 증평 특수팀의 희생으로 이어지지 않게."

"알았습니다."

석강호가 평소와 다르게 답을 하는 것을 보며 강찬은 쓴웃음을 짓고 말았다.

분위기로 봐서 식사는 이미 끝났다.

"치우고 가서 커피나 타 와."

강찬의 말에 우르르 일어나서 테이블을 치웠다. 그동안 석강호는 곧장 구석으로 가서 봉지 커피를 탔다.

밥을 먹었고, 커피를 타고 있으니 당연히 담배를 하나 물어 줘야 하는 거다.

테이블에 남은 제라르가 담배를 권했고, 일단 둘이서 불을 붙였다.

"다예가 저러는 거 처음 봅니다."

강찬은 고개를 끄덕였다.

많이 힘들 거다. 제라르도 그걸 못 이겨서 제대까지 의논할 정도였으니까.

석강호가 오른손 엄지와 검지로 종이컵 2개의 윗부분을 겹쳐서 잡고, 왼손에 한 개, 그렇게 3개를 들고 테이블로 왔다.

쟁반이나 다른 거로 충분히 받칠 수 있었을 텐데 정말 편해서 저러는 걸까?

아무튼, 커피가 도착했다.

셋이서 테이블에 둘러앉아 말없이 커피를 마시고, 담배를 피웠다.

"언제쯤 넘어갈 생각입니까?"

"글쎄, 한 사흘 뒤가 되지 않을까 싶다."

분위기를 눈치챈 통역 대원이 멀찍이 있어서 강찬은 지금 대화 내용을 석강호에게 알려 주었다.

"정신 바짝 차리고 긴장 늦추지 마. 출발할 때까지 놓치는 정보 없도록 신경 쓰고."

"예. 그럼 저는 들어가 있겠습니다."

제라르가 분명하게 답을 하고 안쪽에 있는 요원 방으로

움직였다.

 강찬은 담배를 끄고 석강호를 힐끔 보았다.

 이럴 때는 어설픈 위로보다 그냥 던져두는 게 가장 좋다.

 그래서 강찬은 말없이 함께 창밖을 보았다. 며칠 전에 제라르가 했던 것처럼 말이다.

 한 시간쯤 흐른 다음이었다.

 강찬은 전화기를 들었다. 그러고는 번호를 찾아 버튼을 눌렀다.

 [여보세요?]

 "대표님, 강찬입니다."

 [그래! 요즘 많이 바쁠 텐데 그쪽 분위기는 어때?]

 "일이 좀 많네요. 몽골은 어떠세요?"

 [이곳은 여전하지. 어쩐 일이야?]

 "강 이사님과 통화하고 싶은데 옆에 계세요?"

 [잠시만.]

 김태진의 짧은 설명이 있고 바로 강철규의 응답이 있었다.

 [여보세요?]

 "나야."

 강찬의 대꾸를 듣고도 강철규는 어색한 침묵을 지켰다. 아직 안부를 물을 만큼 살가운 사이가 아니어서 어쭙잖은 대화를 나누느니 솔직히 강찬도 이게 더 편했다.

"아프가니스탄에 모인 UIS 본진을 공격할 계획이야. 예상되는 적의 숫자는 1,200명, 지금까지 들어온 정보로는 새로운 정부를 만들겠다고 모였다는데 내 생각에는 다른 이유가 더 있는 것 같아."

아까와는 다른 침묵이 전화기를 타고 건너왔다.

이런 건 정말 신기하다. 들릴 듯 말 듯한 숨소리로 상대의 감정을 느낀다는 것 말이다.

"특수팀 출신 저격수가 60명 정도 포함되었고, 민간인 숫자는 아직 파악 못했어."

[목표는?]

"수뇌부 전원 사살."

강철규의 단단한 숨소리가 건너온 다음이었다.

[아군 숫자는?]

"증평 특수팀 30명, 국가정보원 대테러팀 30명, 606 특임대 30명, 그 외에 스페츠나츠, 화이트 울프, 지젠느가 각각 30명씩."

[우리가 건너가면 이곳 안전은 어떻게 하지?]

선수답게 필요한 질문이 연달아 넘어왔다.

"중국과 러시아가 당분간 전체를 지켜 주기로 했는데 기본적인 경비는 세우는 게 좋아."

[그 정도라면 나 포함해서……]

강철규가 인원수를 계산하는 것처럼 잠시 뜸을 들였다.

[21명이 움직이겠다. 이동은?]

"장소와 교통편이 정해지는 대로 연락할게. 아무리 그래도 사흘 안으로는 출발하게 될 거야."

[알았다.]

전화가 그렇게 끝났다.

강찬은 테이블에 전화기와 석강호를 놔두고 천천히 화이트보드를 향해 움직였다.

준비는 다 되어 간다.

누군가 죽음으로써 반대편에 선 누군가의 목적을 이룰 준비.

안쪽에서 나온 통역 대원이 새로운 정보를 지도에 입력하는 동안, 강찬은 꼼짝도 하지 않고 그것들을 바라보았다.

⚜   ⚜   ⚜

하룻밤이다.

더럽게 힘겨웠을 밤을 보낸 석강호는 다시 원래의 모습을 되찾았다.

최종일과 통역 대원이 안도하는 표정이었는데 강찬과 제라르는 다른 말을 하지 않았다.

마음에 담긴 사람을 잃은 상처는 절대 쉽게 사라지지 않는다.

석강호는 마음을 털어 낸 게 아니다.

그저 다음 작전을 앞두고 혹시 지금의 감정이 다른 대원을 해칠까 봐 악착스럽게 평소의 모습을 억지로 끄집어내고 있는 거다.

아프리카에서 강찬과 제라르가 그랬었던 것처럼 말이다.

"다녀오쇼."

강찬이 일어서자 석강호가 툴툴거리는 음성으로 인사했다.

강찬은 손을 한 번 들어 주고 사무실을 나섰다.

삼성동에 들른 강찬은 김형정과 함께 곧바로 내곡동 국가정보원 본원으로 향했다.

약속한 10시보다 10분쯤 일찍 도착했다. 그런데 약속한 인원 전부가 지하 회의실에서 기다리고 있었다.

"공군작전사령부 박승용 소령, 이기도 소령입니다. 국가정보원 강찬 부원장님이십니다."

김형정은 먼저 공군 복장의 소령 2명을 소개했다.

이어지는 소개는 간단하고 편했다. 차동균은 두말할 나위 없었고, 대테러팀의 지휘자 강명구와 606 특임대의 정원민은 이미 함께 작전을 치렀던 사이인 거다.

"편안하게 앉으시면 됩니다."

김형정의 권유에 각자 마음에 드는 자리에 앉았다.

강찬까지 자리에 앉았을 때 김형정이 노트북에 USB를 꽂았다. 그러고는 천장에 달린 빔 프로젝터가 작동하기를 기다렸다가 회의실의 조명을 껐다.

회의실 안쪽의 스크린에 아프가니스탄의 지도가 펼쳐졌다.

"아프가니스탄입니다."

강찬이 입을 열자 모두의 시선이 지도로 향했다.

"현재 루카 지역에 1,200명으로 예상되는 UIS가 집결해 있습니다. 우리는 국제빌딩 테러를 비롯해 몽골 기지 습격을 주도한 UIS 수뇌부 전원을 사살할 계획입니다."

소령 2명이 슬쩍 강찬을 보았다가 다시 화면으로 시선을 돌렸다. 이어서 화면에 정보가 하나씩 표시되었고, 그럴 때마다 강찬이 설명을 곁들였다.

30분쯤 지나서 간단한 브리핑이 끝났고, 회의실에 조명이 들어왔다.

"부원장님, 실제로 우리 전투기가 목표 지점을 폭격하는 데는 많은 제약이 있습니다. 그 점을 계산하셨습니까?"

박승용이 기다렸다는 것처럼 질문을 던졌다.

"주변국과 UN의 협조, 이동 간에 필요한 공중 급유까지는 미국에서 책임질 예정이고, 전투기는 가까운 중국의 공군 기지에 대기할 수 있도록 조치했습니다."

"북한이 도발할 수도 있습니다."

"중국과 러시아가 그 부분을 해결할 겁니다."

박승용이 이기도를 돌아본 다음에 다시 강찬에게 시선을 돌렸다. 그의 눈에 '정말 이게 가능해?' 하는 의심이 묻었는데, 더 이상 다른 질문을 하지는 않았다.

"변수가 많습니다. 그렇더라도 사흘 안에는 출발할 예정입니다. 비밀을 유지해 주시고, 대원 선발을 미리 해 두었으면 싶어서 오늘 먼저 브리핑을 하는 겁니다."

잠시 침묵이 흘렀다.

그런 뒤로 몇 가지 질문을 더 던진 박승용과 이기도가 먼저 자리에서 일어났다.

인사를 나눈 두 사람을 김형정이 안내해 나갔다.

"우리는 커피 한 잔 마시고 가도 되지?"

강찬은 남은 사람들과 함께 다시 자리에 앉았다.

"담배나 하나 피워 주고."

강찬이 담배를 꺼내 하나씩 돌린 다음 라이터를 켜 주었다.

역시나 천장의 환풍구를 향해 담배 연기가 회오리 모양으로 빨려 들어갔다.

정원민과 강명구의 얼굴은 처음 본다.

국제빌딩에서는 복면을 쓴 상태에서 보았고, 바로 헤어졌었기 때문에 얼굴을 볼 틈이 없었다.

"특수팀 출신 저격수가 60명이나 있다. 그리고……."

강찬은 미국 특수팀과의 약속을 분명하게 설명해 주었다.
"몇 명이나 선발합니까?"
"팀별로 30명씩."
차동균과 정원민, 강명구가 고개를 끄덕였다.
"적의 숫자, 저격수, 지형, 어느 것 하나 쉬운 구석이 없다. 하지만 우리나라에 테러를 저지른 주범을 알고도 그대로 두면 우리는 앞으로도 계속 테러를 감당해야 한다."
강찬의 말이 끝났을 때 김형정이 들어왔다.
몇 가지 질문과 답이 오갔는데, 시간은 길지 않았다.
회의실을 나온 강찬은 김형정과 함께 삼성동으로 향했다. 준비할 것들과 챙겨야 할 것들이 한두 가지가 아니었다.

점심시간이 훨씬 지나 사무실로 돌아온 강찬은 우선 석강호를 불렀다.
"무슨 일이요?"
"이거 받아."
강찬은 안쪽 주머니에서 봉투를 꺼내 테이블에 올려놓았다.
"이게 뭐요?"
봉투에서 시선을 든 석강호가 강찬의 답을 기다렸다.
"지환이 모친 집 주소하고 돈을 좀 넣었다. 오늘 오전에 사망 통지가 갔다니까 네가 가서 함께 있어 드려."

석강호는 마른침을 삼키며 답을 하지 못했다.

"홀로 사시던 노모가 하나뿐인 아들을 잃었으니 사는 일에 관심도 없으실 거다. 그러니까 지환이를 위해서 노인네가 살 힘을 만들어 드리고 와."

빽빽한 침묵이 흐른 다음이었다.

"자신 없으면 안 가도 돼."

"다녀오겠소."

석강호가 결심한 것처럼 봉투를 집었다.

"우리 출발은 모레 오전이다."

"알았소."

"다예."

"예."

강찬이 불렀고, 무거운 표정으로 석강호가 답을 했다.

"어려운 전투다. 증평의 특수팀을 맡아 줄 지휘자, 내가 아는 석강호가 꼭 있어야 해. 지환이도 아마 그걸 바랄 거라고 믿는다."

"대장."

이번엔 석강호가 불렀고, 강찬은 시선으로 답을 대신했다.

"고맙소."

"지하에 경호팀이 따로 기다린다. 꼭 함께 다녀."

석강호가 자리에서 일어나 재킷을 챙겼고, 사무실 문을

향해 움직였다.

멈칫.

문을 나서기 전이다. 테이블을 향해 석강호가 고개를 숙여 보였다.

지랄! 속이 시커멓게 탔을 놈이!

강찬은 담배를 꺼내 입에 물었다.

⚜ ⚜ ⚜

삼겹살, 쌈 채소 약간, 기다랗게 자른 오이, 고추, 마늘, 시어빠진 김치, 고추장, 투박한 색의 된장, 그리고 밥.

차승호와 차성호가 연신 젓가락을 움직이는 사이에서 한경미가 얼른 고기 한 점을 집었다.

"굽지만 말고 당신도 좀 먹어."

그러면서 한경미는 차동균의 입에 고기를 넣어 주었다.

"당신 먼저 먹으라니까. 난 이것까지 구워 놓고 편하게 먹을게."

치이익. 치익.

차동균이 새로 고기를 얹었는데, 작은 불판 때문에 아이 둘의 입을 감당하기도 버거웠다.

"이번 훈련은 얼마나 걸려?"

아무렇지도 않은 듯 질문을 던졌지만, 한경미의 얼굴 한쪽에 불안함이 묻어 있었다.

아프가니스탄 인질 구출 방송, 국제빌딩 테러 사건 보도 이후로 한경미는 부쩍 겁이 많아졌다.

"기간은 나도 잘 몰라. 이거 먹어 봐."

차동균이 집게로 집어서 건네는 고기를 한경미가 받아먹었다.

"승호 아빠."

"응?"

차동균이 익은 고기를 아이들 그릇에 올려 주고 시선을 들었다.

"우리 셋째 낳을까?"

"왜? 또 아들일까 봐 죽어도 싫다더니?"

"그냥… 그렇게라도 해야 당신이 훈련에서 무사히 돌아올 것 같아서……."

한경미가 끝내 말끝을 흐리고 말았다.

"애들 눈치 보게 왜 그래? 괜찮아. 얼른들 먹어."

차동균이 아이들을 다독인 다음이었다.

"엄마."

차승호가 젓가락으로 제 접시에 놓인 고기를 집어 한경미의 밥그릇 위에 올려 주었다.

"봐라. 애들이 당신보다 낫다."

"애들 지금 당신 있어서 그런 거야! 당신 없으면 내 말 절대로 안 들어!"

최선을 다해 감정을 수습한 한경미가 애써 밝은 얼굴로 던진 대꾸에 차동균은 웃기만 했다.

고맙다. 이런 아내가 있다는 것이.

치이익. 치익. 치이익.

"여보."

"왜?"

"이번에 훈련 다녀오면 우리 셋째 낳자."

차동균이 한경미의 얼굴을 장난처럼 들여다보았다.

"정말이지?"

"그렇다니까! 무사히만 돌아와. 셋째고 넷째고 계속 낳을 거니까."

차동균이 기가 막힌다는 것처럼 웃었다.

"너희 들었지? 엄마가 동생 만들어 준대."

"아빠! 고기 타!"

"어? 그래? 그럼 안 되지."

한경미의 안타까운 시선 앞에서 차동균은 삼겹살을 뒤집고 있었다.

⚜ ⚜ ⚜

강찬에게서 또다시 걸려온 전화를 받은 강철규가 전화기

를 내려놓았다.

"출발 날짜가 잡혔습니까?"

김태진의 질문에 강철규는 먼저 고개를 끄덕였다.

"내일 오후에 헬기가 이쪽에 도착할 거라는군."

강철규가 힐끔 시계를 본 다음이었다.

"선배님, 이번엔 저도 가게 해 주십시오."

김태진이 진지한 음성으로 청을 넣었다.

"그렇잖아도 20명이나 넘어간다. 그 상황에서 자네 아니면 이쪽을 맡아 줄 사람이 없어. 더구나 부원장님이 부탁한 두 분이 계시는데."

상황이 정말 그렇다. 그래서 김태진은 다른 말을 하지 못했다.

"자네가 잘해 주겠지만, 몽골 국경수비대와 공사 인부들이 다른 생각 품지 않도록 특별히 주의해."

"예."

김태진을 본 강철규가 입끝에 웃음을 달았다.

"이러고 있으니까 옛날 생각이 나는군."

"그때도 전 정말 선배님 따라서 나가고 싶었습니다."

"나도 데려가고 싶었지."

"정말 그러셨습니까?"

강철규가 고개를 끄덕였다.

"그런데 왜 그렇게 저를 남겨 두셨습니까?"

"이상하게 상황이 그랬어. 꼭 지금처럼. 그리고 그때 자네 위로 대극이가 워낙 설치기도 했고."

진중한 얼굴이던 김태진이 픽 하고 웃음을 터트리고 말았다.

둘이서 비슷한 얼굴로 웃고 난 다음이었다.

"태진아."

강철규가 오래전 그날처럼 김태진을 불렀다.

"예, 선배님."

"고맙다. 내가 다시 이런 날을 맞게 해 줘서."

"제가 한 게 뭐 있다고 그러십니까?"

강철규가 나직하게 숨을 내쉬었고, 김태진은 멋쩍게 이마를 긁었다.

두두두두두두두.

헬리콥터 3대가 날아왔고, 바닥에 내려앉았다.

기지에 남아 있는 대원들이 먼저 상자들을 내렸다. 강대경이 부탁한 자동차 부품, 유혜숙이 부탁한 음식 재료들이었다.

"늘 있는 훈련 같은 겁니다."

남일규와 양동식을 뒤에 세운 강철규가 강대경과 유혜숙을 향해 듣기 좋은 음성으로 말을 건넸다.

늘 있는 훈련이라고 했다. 김태진을 비롯한 기지에 남는 대원들은 물론이고 남일규, 양동식 등 떠나는 대원들까지 모두 비장한 얼굴을 하고 있는데 말이다.

"건강하게 오십시오."

강대경이 내민 손을 강철규가 맞잡았다.

뻔한 악수다. 그런데 강철규가 왼손을 뻗어 강대경의 오른손을 덮었다.

"고맙습니다."

강대경이 의아한 시선을 들었을 때였다.

"황량한 곳에 가정의 정과 맛있는 음식을 선물해 주신 것에 진심으로 감사드립니다."

강철규가 말을 덧붙이고, 유혜숙에게 고개를 숙여 인사했다.

짧은 인사가 끝났다.

김태진을 향해 눈인사를 한 강철규가 고개를 돌렸다.

"가자."

우르르.

남일규와 양동식을 시작으로 일사불란하게 헬리콥터에 올랐다.

두두두두두두두두.

흙바람을 세차게 뿌리며 헬리콥터가 허공으로 떠올랐다.

석강호는 도착하는 순간부터 소주를 연신 들이켜며 울어댔다.

"흐으으! 흐으! 흐으으!"

쭉 찢어진 눈, 각진 턱, 다부진 인상에 한가락 하게 생긴 덩치가 거실에 앉아서 눈물, 콧물, 침을 흘려 가며 서럽게 우는 거다.

노모는 연신 눈물을 훔치고, 코를 훌쩍였다.

멋진 형님이 생겼다더니…….

생긴 건 산도적이 따로 없었다.

느닷없이 들이닥친 산도적은 좁은 집을 둘러보고 울고, 노모를 보고 울고, 아들의 방을 보고 또 울어 댔다.

그래도 아들의 죽음을 서럽게 울어 주는 형님이다. 코를 들이마신 노모가 뿌연 눈가를 훔치며 자리에서 일어났다.

달각. 달그락.

그러고는 냄비에 물을 부어서 레인지에 올렸다.

"흐으으! 흐으!"

아들이 그렇게 좋아하던 형님을 어떻게 굶기겠나.

"뭐해요? 흐으."

"국물이라도 끼릴라고 그랴요. 암 것도 못 자셨자녀."

"흐으으! 그거 넘어가지도 않아요. 그냥 둬요."

"와 그랴요! 와! 성님은 살아야제!"

석강호가 또 가슴에서 울려 나오는 울음을 터트렸다.

콧물이 길게 떨어졌는데 닦을 생각도 하지 않았다.

"아유! 어쩔까나! 우리 아들 불쌍해서 어쩔까나!"

노모가 쭈뻣쭈뻣 다가가서 석강호의 눈과 코, 그리고 입가를 소매로 닦아 주었다.

"흐으으."

눈물이 커다랗게 매달린 노모와 석강호의 시선이 처음으로 마주쳤다.

"억울해요! 흐으으!"

"뭐시! 뭐시 그리 억울하요?"

"나! 흐으. 지환이한테 해 줄 게 더럽게 많았는데! 흐으. 흐으. 그런데 이렇게 잃었어요!"

노모가 꺽꺽거리는 울음을 터트렸다.

"이 썩을 눔아! 이 못된 눔아! 이런 성님을 두고! 불쌍한 에미를 두고 눈이 감겨지디야!"

처음이었다.

반나절이 훨씬 지나서 노모는 처음으로 석강호를 부둥켜안았다.

⚜ ⚜ ⚜

강철규가 출발했다는 연락을 받은 강찬은 전화기를 들었다.

꾸욱.

통화 버튼을 누르고 신호음이 한참 울린 다음이었다.

[여보세요?]

강대경의 음성이 들렸다.

"아버지!"

[찬이냐?]

이렇게 반가워할 줄은 몰랐다. 자상한 면이 있어서 늘 감정을 표현하곤 했지만, 이토록 반가워하는 음성은 처음이었다.

[이곳에 계신 분들은 강 이사님과 함께 훈련이라고 떠나셨다.]

"예."

[혹시 너도 이번 훈련에 함께하는 거냐?]

강찬은 답을 하지 못했다. 최소한 거짓말을 하고 싶지는 않았다.

강대경은 짐작하고 있었던 모양이다. 그의 깊은 숨소리가 그랬다.

"아버지, 걱정하실 건 알지만, 거짓말을 하고 싶지 않았어요."

[그럼! 그래야지. 그래 줘야지.]

강대경이 상황을 받아들이려는 것처럼 연신 비슷한 답을 쏟아 냈다.

20분쯤 통화를 했다. 몽골에서의 생활을 들으면서 못 본 동안 낀 어색함을 녹였고, 그리움을 주고받았다.

"어머니는요?"

[주방에 있어. 오늘 부탁했던 부식이 들어와서 지금 그거 정리하느라고 정신없을 거다.]

"어머니가 너무 힘드신 거 아니에요?"

[무슨 소리냐? 엄마, 요즘 밤이면 코까지 골면서 정말 잘 잔다.]

모처럼 함께 웃고 난 뒤에 20분쯤 통화를 더 했다.

"아버지, 이제 어머니께 전화드릴게요. 건강 조심하세요."

[찬아.]

"예."

끊기 전이다. 강대경이 나직하게 강찬을 불렀다.

[걱정 안 해도 되는 거지? 무사히 돌아오는 거지?]

그러고는 삼키지 못한 걱정을 전화기를 통해 건넸다.

"그럴 거예요. 훈련 끝나는 대로 전화드릴게요. 어쩌면 몽골에 갈지도 모르고요. 그럼 초밥 사 갈게요."

[이 녀석이!]

웃으며 전화를 끊었다.

한숨을 나직하게 쉰 강찬은 다시 유혜숙의 번호를 눌렀다.

[아들!]

세상 어디에서 이렇게 반가워하는 음성을 들을 수 있을까?

"어머니! 주방 일 하세요?"

강찬은 정말 기쁘고 행복하게 유혜숙과 이야기를 나누었다.

[아들! 보고 싶어!]

"저두요. 저도 어머니 많이 보고 싶어요."

닭살 돋는 표현을 해 가면서 말이다.

"어머니, 절대 무리하지 마세요."

[알았어.]

틀림없이 차민정을 붙들고 '우리 아들이 내 걱정을 이렇게 해 줬어!' 하고 자랑할 것 같은 답이었다.

"사랑해요, 어머니."

[나두, 아들!]

이런 건 아직 어색하다. 몸에서 겉돈다. 하지만 이런 말 한마디가 유혜숙을 얼마나 행복하게 만드는지 알기 때문에 꼭 해 주고 싶었다.

긴 통화가 끝났다. 그런데도 강찬은 전화기를 바라보고 있었다.

국가정보원 대테러팀 비상대기실.

강명구는 눈썹을 긁으며 앞에 앉은 5명을 노려보았다.

"형님!"

가장 왼쪽에 앉은 요원이 친분을 앞세우며 고개를 디밀었다.

하루 이틀 함께한 사이가 아니다. 지금 흐르는 묘한 긴장감을 충분히 알아채는 사이인 거다.

"야! 넌 내일 아버님 생신이고, 넌 여동생 결혼이라며! 그래서 비번 잡은 놈들이 대체 왜 이래?"

"집에는 이미 못 간다고 연락했습니다."

"저도 비상대기라고 말했습니다."

강명구의 한숨을 본 요원이 바쁘게 입을 열었다.

"우리가 비상대기 때문에 집안일 빠진 게 어디 한두 번입니까? 야! 너희 때문에 나까지 곤란하잖아! 그리고 솔직히 아버지 생신이야 내년에도 있지만, 너는 여동생 결혼식이라며? 평생 한 번밖에 없는 거 아냐?"

"왜 이러십니까? 걔 성격 잘 아시면서! 그 계집애 분명 또 결혼할 겁니다. 저는 그때 가면 됩니다."

강명구는 물론이고, 옆에 함께 있던 요원들까지 기가 막힌 웃음을 터트렸다.

강명구는 마지막에 앉은 요원에게 시선을 주었다. 푸르스름한 멍이 그대로 남은 왼손을 오른손으로 감싸고 있었다.

"야! 너 빨리 가서 다시 깁스 안 해?"

"괜찮습니다. 그래서 풀었습니다."

"쓸데없는 소리 말고!"

"보십시오."

요원이 왼팔을 불쑥 들어서 주먹을 쥐었다가 풀었다. 인상을 벅벅 쓰면서 말이다.

"너희 진짜 왜 이래!"

"형님! 분명 출동 있는 거 아닙니까? 저 좀 꼭 끼워 주십시오. 이렇게 부탁드립니다."

선발 인원은 30명이다.

강명구가 근무표를 조절하는 순간, 분위기를 눈치챈 요원들이 일제히 면담을 요청했고, 진드기처럼 달라붙어서 떨어지질 않았다.

특히나 국제빌딩의 테러에 참여하지 못했던 요원들이 적극적으로 강명구에게 매달리고 있었다.

선배를, 동기를, 후배를 잃은 국제빌딩 작전 이후에 요원들은 출동 기미만 있으면 서로 머리를 디밀지 못해 안달이었다.

비번들은 대기실에서 빈둥거렸고, 툭하면 소총과 대검을 닦아댔다.

"형님! 제가 알아서 근무 바꾸면 되는 겁니까?"

"하아."

강명구는 커다랗게 한숨을 내쉬었다.

⚜   ⚜   ⚜

철컥. 철컥. 철컥.

606 훈련장 건물로 검은 군복에 완벽하게 무장한 대원 셋이 들어섰다.

"뭐야?"

정원민은 무섭다. 그런데 그의 날카로운 눈빛을 받았음에도 중사 3명은 조금도 물러서는 기색이 없었다.

"근무 일정 조절 부탁드리러 왔습니다."

"말해 봐."

"저는 이번 휴가 반납하겠습니다."

"저는 외박 반납합니다."

정원민이 답을 하지 않은 가장 왼편의 대원에게 시선을 주었을 때였다.

"저는 평생 외박과 휴가 필요 없습니다!"

엉뚱한 답이 불쑥 튀어나왔다.

순간, 옆에 선 중사 2명의 얼굴에 '이런 배신자!' 하는 감정이 올라왔는데 정원민은 어이가 없다는 표정이었다.

"이유가 뭐야?"

3명의 중사는 답이 없었다.

"너희 장난치는 거냐?"

"출동이 있는 거 아닙니까? 저희는 꼭 그 작전에 참가하고 싶습니다."

"야!"

"중사 최철한!"

정원민의 고함에 최철한이 다부지게 답을 했다.

"쓸데없는 소리 말고 나가."

"데려가 주십시오!"

"이 새끼들이……."

"뺏다를 치셔도 좋고! 군장 메고 연병장 천 바퀴를 돌라면 기쁘게 달리겠습니다! 데려가 주십시오!"

정원민이 뜨거운 김을 확 쏟아 냈다.

"누가 작전이 있다고 그래!"

"그럼 그냥 휴가만 반납하게 해 주십시오!"

"최철한!"

"중사 최철한!"

정원민의 눈이 번들거렸다. 이럴 때 그는 정말 무섭다.

606 꼬챙이! 정원민의 별명이 그렇다. 훈련 때 사소한 잘못 하나도 그냥 넘어가지 않아서 붙은 별명이었다.

"이것들이 단체로 약을 처먹었나? 나가."

"한 말씀만 드리고 나가겠습니다."

잠시 최철한을 바라보던 정원민이 고개를 끄덕였다.

어려운 전투다 • 71

"국제빌딩 작전 때 비번이었던 것 때문에 지금껏 하루도 편히 못 잤습니다."

정원민이 냉담한 얼굴로 최철한을 보았다.

"보셨잖습니까? 더 많이 훈련하고, 더 많이 뛰었고, 저녁까지 격투술 혼자 훈련했습니다."

"그래서?"

"희생된 동기들과 후배들에게 미안해서 어쩌면 평생 제대로 못 잘지 모릅니다. 이번에 작전이 있다면 꼭 보내 주십시오! 먼저 간 놈들에게! 당당한 모습을 보이고! 돌아와서 편히 자고 싶습니다!"

정원민이 이를 꽉 깨물며 노려보는데도 최철한은 시선을 피하지 않았다.

⚜ ⚜ ⚜

[여보세요?]

강찬은 뜻밖에도 웃음이 먼저 나왔다.

예전 그대로인 것 같기도 하고, 바뀐 것 같기도 했다.

"나야."

[알아.]

서운함이 가득한 목소리였다. 전처럼 '응!' 하고 받지도 않는다.

당연한 일이다. 아쉽고 서운하기는 했지만, 어쩌면 이렇게 정리되는 게 더 나은 일인지도 모른다.

적당히 대꾸하고 전화를 끊을까 하는 순간이었다.

[나쁘다.]

김미영의 투정이 먼저 들렸고, 이어서 훌쩍이는 소리가 건너왔다.

"왜 그래?"

참았던 울음이 터진 모양인지 김미영은 당장 말을 하지 못했다.

이렇게 힘들었구나.

그냥 기다리는 줄 알았더니 정말 많이 힘들었었구나.

"미안하다."

강찬은 진심을 담아서 사과했다. 이런 울음을 참아 가며 기다리고 있었던 김미영에게 그동안 연락 못 한 것에 대해서.

1분쯤 지났을까?

[나 계속 기다려도 되는 거지?]

정말 엉뚱한 질문이 수화기를 타고 건너왔다.

[아빠가 너무 바빠서 연락 못 하는 거니까, 나라를 위해서 일하는 사람이니까 절대 귀찮게 하지 말래서 전화 못 했어.]

사무실에서 김미영을 너무 기다리게 하지 말라던 김관식의 모습이 떠올랐다.

[나 그래도 돼?]

웃긴다. 정말 우습다.

질문을 받는 순간, 강찬은 김미영의 첫 대꾸에서 느꼈던 서운함과 아쉬움이 싹 달아나는 것을 깨달았다.

"미영아."

[응?]

"너 내가 무슨 일 하는지 알아?"

[응. 텔레비전에서 봤어. 국제빌딩에서 나오는 거.]

마지막에 김미영의 목소리가 또 울먹였다.

"그래도 괜찮아?"

비겁했나? 사람을 죽이는 게, 언제 죽을지 모르는 것이 괜찮냐고 물었어야 했나?

[바보!]

그런데 정말 뜻밖의 답이 건너왔다.

살면서 김미영에게 바보 소리를 들을 줄이야······.

[뭘 하면 어때? 그럼 내가 외교관이 안 되면 나 안 만나는 거야? 뚱뚱해지면 안 만나고?]

웃음이 나왔다.

뭐 이렇게 순진한 애가 있지?

[왜 웃어?]

이제 좀 김미영 같다.

"보고 싶어서."

[지금?]

갑자기 들뜬 목소리였다.

강찬은 시계를 힐끔 보았다. 밤 10시가 조금 넘었다. 차를 마시거나 걷고 싶어도 요원들이 무지하게 고생해야 한다.

"내일 출장 가거든. 그거 다녀오면 만나자."

[위험한 일이야?]

"아냐."

김미영에게까지 걱정을 얹어 주고 싶지는 않았다.

10분쯤 더 통화했다. 그리고 전화를 끊으며 결심했다.

이번 작전에서 돌아오면…….

⚜   ⚜   ⚜

"어머니, 나 갔다 올게요."

노모가 겁이 덜컥 난 얼굴로 석강호를 보았다.

"훌쩍 다녀올 거요. 그래서 지환이 장례 내 손으로 치러 줄 거요."

"위험한 일 아니요?"

"그런 거 아녜요."

"장례라도 우리는 올 사람이 암도 없소."

"그런 건 걱정도 하지 마세요."

"꼭 오시요!"

"온다니까!"

석강호가 쪼그만 노모를 안고 다독였다.

"지환이 잘 보내게 억지로라도 밥 자시고 버텨. 알았소?"

"그라입시다! 내 버틸라요! 내 새끼 잘 보내 주게 내 버틸라니께 꼭 오시요!"

"후우."

석강호가 몸을 일으켰다.

감정을 털어 낸 그의 눈이 어느 순간보다 번들거렸다.

철컥. 철컥. 철컥.

증평의 대원들이 버스에 올랐다.

새벽같이 식사를 끝내서 아직 해가 다 오르지도 않은 시간이었다.

차동균은 버스의 입구에 서서 대원들이 올라가는 모습을 지켜보고 있었다.

마지막으로 곽철호가 버스에 올랐다.

차동균은 천천히 고개를 돌려 막사와 그 앞에 선 부관을 보았다.

이 전투에서 증평의 특수팀은 반드시 승리하고 돌아온다!

최성곤에게서 차동균은 그렇게 배웠다.

뜨거운 피로 대한민국을 지킬 수 있다면 증평의 특수팀

은 행복하다고!

철커덕! 철컥! 철컥! 철컥!
606 특임대대의 아침에 날카로운 긴장이 감돌았다.
다가온 대원들이 정원민과 눈을 마주친 후 차례대로 버스에 올랐다.
606 꼬챙이! 저래도 위험한 순간에 가장 앞에 서는 꼬챙이다.
훈련 때 그는 늘 악을 써 댔다.
"너희는 606이다! 항상 승리해야 하는 606!"
훈련을 시작하기 전에, 결과가 마음에 들지 않을 때 그는 늘 같은 고함을 질렀다.
"너희가 실패하면 조국은 위기를 맞는다!"
조국을 위해 삶을 던져 버리지 못한 대원은 606의 군복을 입지 못한다. 그래서 606은 입고 있는 군복이 수의라는 각오로 작전에 나선다.
지금처럼.

검은 군복을 입은 대테러팀이 비상대기실을 나섰다.
이런 순간에 깔리는 긴장은 늘 침묵을 동반한다.
쩔걱. 철컥.
그래서 소총 소리만 들릴 뿐, 다른 소리는 전혀 들리지 않았다.

황기현과 송창욱의 경호에 실패했고, 국제빌딩 테러에서 동료를 잃은 대테러팀이다. 그 아픔이 요원들의 눈에 독기로 나타나 있었다.

이름 없는 별이 되어도 만족한다!

태극기에 영혼을, 조국에 뜨거운 피를 바쳐서 대한민국을 지킬 수만 있다면!

인천공항에 도착한 강철규와 비무장팀이 준비된 헬리콥터로 올랐다.

비행에 지칠 만도 했는데, 강철규와 대원들의 눈빛이 매섭게 번들거렸다.

강철규의 앞을 지난 대원들이 빠르게 헬리콥터로 올라탔다.

이 길에서 누가 돌아올지 모른다.

그러나 상관없었다. 이미 조국과 동료를 위해 바친 목숨이다.

가족에게 죄를 짓더라도.

아침을 먹고 다 같이 앉아 커피를 마셨다. 그리고 담배를 하나씩 물었다.

"후우."

강찬은 새벽같이 돌아온 석강호를 보았다. 독기가 잔뜩 올랐지만, 감정을 털어 낸 것만은 분명해 보였다.

이번엔 제라르다.

볼의 상처를 우그러트리며 웃는 놈의 눈 역시 석강호 못지않게 번들거리고 있었다.

최종일, 우희승, 이두범. 그리고 잔뜩 긴장한 얼굴로 담배를 피우는 통역 대원.

강찬은 재떨이에 담배를 껐다.

"가자."

강찬을 시작으로 다 같이 자리에서 일어났다.

제3장

결과를 지켜보지

GOD
OF
BLACK FIELD

 성남공항에 도착한 것은 오전 8시가 채 되지 않은 시간이었다.
 "애들이 왜 이렇게 많이 깔렸지?"
 석강호의 말대로 경계가 확실히 이전과 달랐다.
 비밀을 유지하기 위해서 아닐까?
 강찬은 속 편하게 생각하고 대꾸하지 않았다.
 이두범이 신분증을 제시하자 바리케이드가 열렸고, 강찬이 탄 차는 본관 건물을 돌아서 곧바로 활주로로 들어갔다.
 가장 먼저 커다란 민간항공기, 다음으로 버스 3대가 시야에 들어왔다.
 버스 뒤편에 차를 세웠을 때였다.

앞쪽에 부동자세로 서 있는 대원들과 요원들이 보였다.

뭘 저렇게 딱딱하게!

차에서 내린 강찬은 일행과 함께 대원들이 모여 있는 앞으로 움직였다.

그런데 누구 한 사람 돌아보지 않았다.

강찬은 경계가 삼엄했던 이유와 대원들이 부동자세로 서 있는 이유를 바로 알 수 있었다.

문재현이 대원들과 일일이 악수를 나누며 어깨를 두드리고 있었다.

그의 뒤로 전대극, 고건우, 그리고 김형정이 보였다.

마침 대원들과의 악수가 다 끝났는지 문재현이 강찬을 향해 걸어왔다.

"부원장."

문재현이 손을 내밀었고, 강찬이 맞잡았다.

"대한민국을 짊어지고 대원들을 이끌어야 할 부원장에게 고맙고 미안합니다. 무사히 귀환하기를 기다리겠습니다."

잠시 강찬을 바라보던 문재현이 석강호를 시작으로 제라르, 최종일, 우희승, 이두범, 그리고 통역 대원과 악수를 나누었다.

606 저 너머에 강철규와 비무장팀 대원들이 있었다.

"부원장."

고건우는 말없이 강찬의 손만 잡았다.

굳이 말이 필요 없는 상황이었다. 김형정은 하고 싶어도 긴말을 하지 못한다.

"무사히 돌아오십시오."

"예."

대통령에 국가정보원 원장이 기다리고 있는 거다.

강찬은 차동균에게 고갯짓을 했다.

"부대 차렷!"

착!

"대통령님께 경례!"

착!

문재현이 거수경례로 답을 하고 손을 내렸다.

"바로!"

착!

문재현은 먼저 대원들을 천천히 돌아본 후에 입을 열었다.

"지금 여러분의 모습을 대한민국의 대통령으로, 한 남자로, 절대 잊지 않겠습니다. 어려운 임무를 맡겼습니다. 오늘이 대한민국의 위상을 바꾸는 날이 되도록 최선을 다하겠습니다."

대원들의 얼굴에 담긴 각오와 사명감에 가슴이 울렁인 모양이었다.

말을 마친 문재현의 눈가가 벌겋게 올라 있었다.

결과를 지켜보지 • 85

짧은 시간이 흐른 다음이었다.

문재현과 고건우, 전대극이 몸을 돌려 공항 건물로 향했다.

"출발하자!"

차동균이 편하게 말을 건넸고, 대원들이 줄줄이 비행기의 트랩으로 움직였다.

가장 먼저 대테러팀 요원들이 올라갔고, 다음으로 증평의 특수팀, 이어서 606, 마지막으로 강철규와 비무장팀이 다가왔다.

이런 곳에서 말 나눌 필요 뭐 있겠나.

다들 눈인사만 나누고 비행기 트랩을 올랐다.

석강호와 제라르, 최종일 조원, 통역 대원이 올라간 다음이었다.

트랩에 올라가기 전, 강찬은 뒤를 돌아보았다. 본관 건물 입구에서 문재현이 이쪽을 바라보고 있었다.

강찬은 고개를 숙여 보이고 트랩으로 올라갔다.

비행기는 바로 활주로의 끝으로 움직였다.

땡. 땡. 땡. 땡.

안전벨트를 매라는 신호가 들어왔는데 신경 쓰는 사람은 아무도 없었다.

확실히 민간항공기는 군 수송기와 비할 바가 아니었다.

트럭의 뒤에 타는 것과 승합차의 뒷좌석 차이 정도 될 거다.

고도를 높인 비행기가 자세를 잡은 다음에 다시 '떵. 떵.' 하는 소리가 들렸다.

이제부터 진정한 시작이었다.

최종일의 신호를 받은 강찬이 자리에서 일어나 승무원들이 사용하는 마이크를 들었다.

"국가정보원 부원장 강찬이다."

편안하게 자리 잡은 대원들의 시선이 단번에 몰려들었다.

규정대로라면 비상시 탈출 요령을 먼저 해야 한다. 이 대원들과 요원들에게 말이다.

지금 아무리 그런 걸 떠들어 봐야 어느 놈 하나 콧등으로도 듣지 않을 거다.

최종일이 노트북의 버튼을 누르자 비행기에 있는 화면에 아프가니스탄의 지도가 떠올랐다.

국가정보원 지하 회의실에서 했던 브리핑과 비슷했다. 정보가 떠오르면 강찬이 부연 설명을 했다.

러시아와 중국, 독일의 특수팀이 가세할 예정이고, 미국의 특수팀이 대가리 둘을 잡을 거라는 설명까지 모두 끝났다.

"루카 지역을 잘 보면 사리차 로드 외길에, 판즈셔 강이 앞을 흐르고 있어서 전략적으로 우리가 굉장히 불리하다."

대원들이 지도를 유심히 바라보았다. 화면에 최대한 근접

해 촬영한 산악의 모습이 올라왔다.

"지금 보이는 산의 곳곳에 UIS가 은신해 있고, 그들 중에는 특수팀 출신 저격수가 60명이나 포함되어 있다."

너 나 할 것 없이 굳은 표정이었다.

"우리는 일단 이곳 바자르(Bazar)에서 3개국 특수팀과 합류하고 함께 작전을 개시할 예정이다."

강찬이 시선을 주자 최종일이 화면을 바꿨다. 산의 중간에서 나타난 붉은 선이 루카로 이어졌다.

"증평 특수팀이 헬기로 이동한 후, 산을 통해 진입한다. 지휘자는 석강호."

이어서 붉은 선이 강을 따라 루카에 닿았다.

"606은 강을 따라 진입한다. 지휘자는 제라르."

강찬은 강명구와 대테러팀을 보았다.

"대테러팀은 나와 함께 움직인다."

증평 특수팀과 606이 움직일 동선의 중간에 다시 붉은색 선이 기다랗게 루카로 닿았다.

"마지막 남은 한 팀은 여러분이 잘 아는 비무장 특수팀이다. 이분들은!"

강찬의 말에 따라 화면이 빠르게 바뀌었다.

"세 팀으로 나눠서 매복한 적과 저격수, 그리고 적 수뇌부의 제거를 맡는다."

비행기 안에 더할 수 없는 긴장이 맴돌았다.

"3개국에서 지원 나온 팀은 우리의 후방을 맡길 생각이다. 섞여서 좋은 결과를 얻기 어렵고, 적들이 얼마든지 우리를 포위할 수 있기 때문이다."

강찬은 자리에 앉은 대원들을 천천히 돌아보았다.

"UIS는 반드시 민간인으로 블록을 쌓는다. 606의 지휘자로 프랑스 외인부대 특수팀 사령관을 지정한 것, 증평 특수팀 지휘자로 석강호를 지정한 이유다. 또 한 가지!"

화면이 다시 바뀌어서 허리에 폭탄을 감은 이슬람 남자의 모습이 보였다.

"인간 방벽으로 끌려온 민간인 중에는 화면에 보이는 것처럼 폭탄을 두른 사람들이 반드시 있을 거다. 혹시 민간인들을 구할 수 있다고 판단돼도 섣불리 다가가지 마라. 질문!"

잠시 침묵이 흐른 다음이었다. 606의 정원민이 손을 들었다.

"만약 지휘를 받지 못한 상태에서 저런 민간인을 만나면 어떻게 합니까?"

강찬은 곧바로 답을 했다.

"상황에 따라 다르다. 그리고 구할 수 있을지, 사살해야 할지. 그 판단은 그 자리에 있는 대원의 몫이다."

정원민이 알겠다는 듯 고개를 끄덕인 다음이었다.

"여자와 어린아이의 몸에 감겨 있는 폭탄을 특히 조심해

라. 주저하는 순간 동료가 죽고, 작전이 망가진다."

강찬은 짧게 설명을 덧붙였다.

더는 질문이 나오지 않았다.

"궁금한 게 있다면 언제든 질문 던지는 것으로 하고 도착할 때까지 편히 쉰다."

강찬이 마이크를 건네자 최종일이 받았다.

"안내 말씀드립니다."

뭐하려고 저러지?

설마 '비상구는 여러분이 보시는 앞쪽에 있고!' 따위를 하지는 않을 테고?

"이 앞쪽 조리실에 라면과 커피, 뜨거운 물이 있고, 뒤편 카트에 도시락이 있습니다. 필요하신 분들은 언제고 편하게 드시면 됩니다."

강찬의 시선을 보았는지 최종일이 얼른 안내를 끝내고 마이크를 놓았다.

강찬은 복도를 걸어 뒤편으로 움직였다. 강철규와 남일규, 양동식을 향해서였다.

이미 리비아에서 함께 뛰었던 사이다. 남일규와 양동식을 비롯한 대원들이 강찬을 반갑게 맞았다.

강철규는?

뭘 바라겠나? 그는 전과 같이 무뚝뚝한 얼굴이었다.

"작전에서 궁금한 게 있어?"

"아군 저격수 숫자는?"

"팀별로 3명씩이라고 보면 맞아."

강찬이 대답한 다음이었다. 대원들이 섞이면서 앞쪽이 시끌시끌해졌다.

어차피 출신을 물어보면 대개 공수부대와 606을 거친 대원들이라 바로바로 알아보는 모양이었다.

향긋한 커피 냄새도 풍겼다.

고개를 돌렸을 때, 눈빛을 번들거리며 석강호가 다가왔다.

어쩐 일로 커다란 쟁반에 종이컵을 잔뜩 얹었는데, 그 뒤로 최종일이 비슷한 모습으로 따라오고 있었다.

비무장팀 대원이 자리에서 일어나 쟁반을 받아 주었다.

"아까 증평 특수팀을 이끌 거라고 했던 석강호, 이분이 비무장왕."

"석강호입니다."

"강철규요. 그리고 이쪽이 남일규, 양동식."

염병!

석강호가 이렇게 고개를 조아리며 인사하는 꼴을 보게 될 줄은 몰랐다. 전생의 아버지란 말을 기억해서인지 놈은 남들이 의아한 눈으로 볼 만큼 공손하게 강철규의 손을 잡았다.

종이컵을 나눠 들고 이야기를 나눠 볼까 했는데 이번에는 차동균과 곽철호, 윤상기, 정원민, 강민구가 떼로 다가왔다.
"선배님!"
"그래! 잘들 지냈지!"
곽철호와 양동식은 피난 때 잃었던 아버지와 아들이 만난 것처럼 반가워 어쩔 줄 몰랐다. 이어서 차동균이 인사하고, 다시 정원민과 강명구를 소개했다.

비행시간 길다.

선배들은 반짝이는 후배들을 만나서 반갑고, 후배들은 대한민국 전설을 만나서 기쁘다.

그런 걸 굳이 막고 싶지 않았다.

"나중에 다시 올게."

강찬의 말에 강철규가 고개를 끄덕였다.

강찬은 비행기의 앞쪽으로 움직였다.

잘한 짓이다. 강철규에게, 비무장팀 대원들에게 인사하겠다고, 대원들이 통로에 길게 서 있는 것을 보면 말이다.

강찬은 힐끔 뒤를 돌아보았다.

잘됐다. 늦게나마 전설로 대우받을 수 있다는 것이, 쓸데없는 늙은이가 아니라 대한민국을 위해 일하는 전설이라는 것이.

"눈매가 대장과 똑같아서 놀랐소."

"그래?"

어쩐지 좋은 말 같지는 않았다.

중간의 조리대를 지나 비지니스 석에 들어서자 대원들이 편안하게 커피를 마시며 이야기를 나누고 있었다.

"제라르는?"

"앞쪽에 있습니다."

강찬은 석강호와 함께 다시 움직였다.

다 좋은데 비행기가 너무 크다.

일등석 칸이다. 제라르가 통역 대원과 담배를 피우고 있었다.

강찬은 중간 자리에 편안하게 앉았다.

"대장."

"왜?"

"나 한국에 잘 온 것 같습니다."

제라르가 담배를 디밀며 웃었다.

"이 새끼가 뭐라는 거요?"

담배는 석강호가 받았다.

⚜   ⚜   ⚜

로리암의 지하 감옥이다.

얇은 시사 잡지를 내려놓은 라노크가 손을 뻗었다.

벽 한쪽의 침대, 그 옆의 책상, 그리고 소파가 가구의 전부였다.

쪼로록.

라노크는 소파의 맞은편에 앉은 로망에게 홍차를 따라 주었다.

"이제 와서 내게 그런 말을 하는 이유가 뭐지?"

"무슈 강이 나를 노린다면 위원장님의 안전을 보장하지 못하게 됩니다."

"홍차를 자주 마시면 감정이 가라앉아서 냉철한 판단을 하는 데 커다란 도움이 되지."

"위원장님."

달칵.

라노크가 홍차 주전자를 내려놓았다. 그러고는 로망의 말에 관심도 없다는 투로 시가를 입에 물었다.

찰칵.

그가 시가를 빨아들일 때마다 라이터의 불꽃이 반대쪽 끝으로 빨려들었다가는 다시 피어났다.

"후우, 무슈 강의 개성을 받아들여야지."

라노크가 소파의 등받이에 몸을 기대고 냉정한 얼굴로 로망을 바라보았다.

"자네가 다윗의 별 소속이라는 것을 알고 있던 상황에서, 다윗의 별이 한국에서의 테러에 개입했다. 그렇다면 무슈 강은 당연히 자네를 제거하겠다고 나서지 않을까?"

"우리는 그를 제거할 능력이 있습니다."

"그럴 수 있다면 그렇게 하면 되는 거다."

라노크는 더 이상 거론할 가치도 없다는 것처럼 말을 던졌다. 그러고는 홍차 잔을 들어 입으로 가져갔다.

"정보총국장이 되면 대개 오해를 하게 되지."

달칵.

전에 없이 날카로운 라노크의 시선을 로망은 묵묵하게 받아 내고 있었다.

"세상의 뒤편을 조절할 힘이 생겼다고 과신하는 순간, 앞쪽의 핸들도 마음대로 돌릴 수 있다고 믿는다. 지금의 자네처럼."

로망은 대꾸하지 못했다.

"대통령과 정권의 요구를 충족하지 못하면, 프랑스의 영광에 도움이 되지 않는다면, 정보총국은 존재 가치가 없다."

"대통령은 아직 나를 신뢰하고 있습니다."

"그렇겠지."

라노크가 고개를 끄덕였다.

"그러나 앞으로도 그럴까? 정권에 치명적인 치부가 드러나고, 프랑스의 영광에 해가 되는 일들이 벌어져도?"

"위원장님의 뜻은 알겠습니다. 그렇다면 저 역시 제 판단대로 하겠습니다."

라노크가 한쪽 입술을 들고 웃은 다음 잡지를 집어 들었다.

"위원장님은 정보총국이 그를 제거하지 못할 거라고 생각하십니까?"

치켜뜨는 것처럼 시선을 든 라노크가 잠시 고개를 갸웃했다. 그런데 그는 별로 관심이 가질 않는다는 것처럼 다시 잡지로 시선을 주었다.

"마지막으로 전하고 싶은 말씀이 있다면 지금 하십시오."

로망은 결심이 선 표정과 음성이었다.

커다랗게 숨을 들이마신 라노크가 천천히 내뱉으며 잡지를 내려놓았다.

"내게 남은 시간이 얼마나 되지?"

"닷새 정도는 드리겠습니다."

"안느는?"

"가족은 건드리지 않겠습니다."

라노크가 고개를 끄덕였다.

기가 막힌 일이다. 답을 들은 라노크가 다시 잡지로 시선을 준 것은.

"위원장님이 그 애송이를 얼마나 믿고 계신지는 모르겠지만, 이번 전투에서 그는 절대로 살아서 돌아오지 못합니다. 닷새는 그 기간입니다."

로망은 라노크의 태도가 몹시 못마땅한 얼굴로 말을 이었다.

"그가 죽고 나면 러시아와 중국, 독일과 스위스가 준비하던 모든 계획도 물거품이 됩니다."

"그렇군. 갑자기 궁금한 것 한 가지가 생각났는데 말이지."

잡지를 내려놓는 라노크를 로망이 의아한 눈으로 바라보았다.

"한국의 국가정보원장과 청장을 살해한 것이 다윗의 별인가, 자네인가?"

잠시 날카로운 침묵이 흐른 다음이었다.

"정보총국입니다."

"흠."

라노크가 커다랗게 숨을 내쉬고는 얼굴을 쓸었다. 어지간해서 감정을 내비치지 않는 그로서는 엄청난 심정 표현이었다.

"황기현은 한국의 국가정보원에 비해 너무 뛰어난 인물이었고, 그에 대한 대가를 치른 것입니다."

"무슈 강이 그를 얼마나 존중하고 있는지를 알고도 감히 그런 짓을 했단 말이지?"

"이번 전투에서 돌아오지 못할 거라고 말씀드렸습니다."

라노크와 로망이 눈싸움이라도 하는 것처럼 서로의 시선을 돌리지 않았다.

"남은 닷새를 소중하게 보내시기 바랍니다."

"다음번에는 우리 두 사람 중 누구 하나는 반드시 죽은 모습이겠군."

자리에서 일어난 로망은 정말 모르겠다는 얼굴이었다.

"무슈 강이 정말 이 전투에서 살아나서 정보총국을 이겨 내고, 다윗의 별과 겨룰 수 있다고 믿으십니까?"

"자네는 정말 무슈 강이 이 전투에서 죽을 거라고 믿나?"

또다시 눈과 눈이 맞부딪쳤다.

"닷새입니다."

"결과를 지켜보지."

로망이 묘한 미소를 남기고 몸을 돌렸다.

⚜   ⚜   ⚜

알만 빈 지브릴(ج ب ر ي ل)은 둥그렇게 앉아 있는 이들을 천천히 돌아보았다.

"아비부가 비록 과한 부분이 있지만, 그는 우리의 미래와 안전을 위해 분명하고 확실한 의지를 보여 주었습니다."

흰색 원피스 차림의 아홉 남자가 신중한 표정으로 지브릴의 말을 듣고 있었다.

의자마다 오른쪽에 협탁을 두어서 중앙이 텅 빈 느낌이었다.

"이번에 한국에 고개를 숙이면! 우리는 영원히 그들의 경제적 지배에 놓이게 됩니다! 그러니!"

지브릴은 말끝마다 오른손으로 허공을 찍어 댔다.

"아프가니스탄의 일을 승인해 주신다면! 제가 이 사태를 분명하게 끝내겠습니다!"

말이 끝나자 무거운 침묵이 주변을 떠돌아다녔다. 누구도 쉽게 결정하지 못하는 분위기였다.

"러시아, 중국, 독일이 가세한 싸움이다. 그들이 진실로 지켜보기만 하겠나? 그들의 특수팀이 직접 참가한 이 전투를?"

모인 이들 중에 가장 나이가 많고 온화한 인물, 우스만. 그는 처음부터 지브릴의 계획을 반대했으나 분위기를 거역하지는 못하고 있었다.

"프랑스의 대통령이 직접 전화를 걸었고, 해당 나라 수반들과 협약이 있었다고 들었습니다."

"더 이상 개입하지 않겠다는 뜻인가?"

"아프가니스탄 사태에 더는 개입하지 않겠다는 약속입니다."

지브릴이 허공을 반으로 가르는 것처럼 손날을 움직였다.

"미국은?"

"미국은 내심 반기는 분위기입니다."

지브릴이 다시 앉아 있는 이들을 둘러보았다.

"잊지 않으셔야 합니다. UIS를 벌할 수 있는 것은 우리이지, 한국이 아닙니다. 또 한 가지!"

분위기를 휘어잡은 지브릴이 더욱 눈빛을 빛냈다.

"한국의 애송이가 우리의 모든 것을 빼앗으려 하고 있습니다. 이 전투에서 그를 제거한다면! 우리는 에너지 사업에서 영원한 승자가 될 것입니다!"

강한 의지가 담뿍 담긴 지브릴의 발언은 확실히 효과가 있었다.

"프랑스에서 대통령까지 나섰다면 그에 맞는 대가를 지불해야 할 텐데?"

"우리가 그들의 무기를 구매하는 조건입니다. 이후에 이룩할 차세대 에너지에 대한 지분이 포함되었습니다."

"미국에 주어야 할 대가는?"

"대통령 선거에 유리할 수 있도록 가자 지구의 협정에 미국의 활약을 넣어 주기로 했습니다."

우스만의 질문에도 지브릴은 거침이 없었다.

"이란은 아프리카에서 쿠드스가 전멸하는 치욕을 당했습니다. 이 전투에서 우리는 이슬람 전사들의 능력을 전 세계에 보이고! 애송이를 완벽하게 제거함으로써 한국이 아비부의 일을 사과하도록 할 것입니다."

우스만은 나직하게 신음을 흘렸다.

분위기는 이미 넘어갔다. 그렇더라도 우스만은 어떻게 해서든 이 계획을 말리고 싶었다. 그의 연륜과 경험이 계속해서 경고하고 있었기 때문이다.

"UIS의 지도자를 제거하겠다고 나선 한국의 애송이는 우리 에너지 사업의 영원한 승리를 기념하는 제물로! 아프가니스탄에서 분명하게 그의 생을 다할 것입니다!"

그러나 지브릴의 확신에 찬 말을 들으며 우스만은 이미 이번 결정을 거스르지 못한다는 것을 알았다.

'흐음.'

우스만은 새어 나오는 한숨을 남몰래 삼켰다.

프랑스의 무기 구매? 미국의 대통령 선거?

지브릴은 모른다. 이익으로만 엮인 신뢰가 얼마나 가볍고 간사한지를!

그리고 지브릴은 너무 젊다. 세상에 '절대'란 없다는 사실을 깨닫기에는.

이렇게까지 했는데 한국의 애송이가 승리를 거머쥔다면?

생각만으로도 끔찍한 상황에 우스만은 고개를 털었다. 그리고 연륜에 걸맞게 의심을 감춘 얼굴로 지브릴을 보았다.

무언가 감추고 있다. 그게 무엇인지 알 수는 없지만 말이다.

⚜ ⚜ ⚜

대원들이 얼굴을 익히고, 강철규와 비무장팀 대원들에게 인사하는 것이 나쁠 것은 없는 일이다.

그래서 강찬은 일등석에서 시간을 보냈다.

솔직히 좌석 편안하겠다, 옆에 커피와 담배 있겠다, 이렇게 앉아 있는 것이 싫을 이유도 없었다.

"밥 먹읍시다."

석강호가 컨디션이 돌아온 것을 확실하게 증명하고 나섰다. 그러고는 이두범, 통역 대원과 움직여 도시락과 라면을 챙겨 왔다.

"뒤쪽은 어떠냐?"

"다들 모여서 식사할 건가 본데, 비무장왕이라는 분이 대단하긴 한가 보우! 총에 사인해 달랄 분위기요."

석강호가 걸걸한 음성으로 뒤편의 분위기를 알려 주었다.

컵라면 국물에 도시락을 먹었다. 프랑스 놈이 '후후' 불어 가며 면발을 처먹는 꼴도 봤다.

대충 치우고 났을 때였다. 뒤편에서 최종일이 다가왔다.

"강 이사님이 뵐 수 있냐고 하십니다."

"지금?"

"비지니스 석에서 기다리십니다."

강찬은 자리에서 일어났다. 괜히 이리 오라고 했다가 담배 피울 곳이 없어지면 곤란한 거다.

뒤쪽으로 걸어가 커튼을 젖히자, 창가에 앉은 강철규가 보였다. 강찬은 곧바로 그의 옆자리에 앉았다.

"장기전이 될 것 같은데 그래도 괜찮은 거냐?"

강철규는 테이블에 루카 지역의 지도를 펼쳐 놓고 있었다.

하여간, 멋대가리 없기는!

'밥은 먹었냐?'라든가, 아니면 뭐 '좀 쉬었냐?' 이 정도 말은 먼저 해 줘야 하는 거 아닐까?

"작전 지역에 도착하는 것도 시간이 꽤 걸린다."

강찬의 생각을 전혀 모르는 것처럼, 강철규가 산악의 형태를 따라 검지를 움직였다.

강찬은 물론이고 강명구, 정원민, 그리고 대원들 모두 염려하는 부분이었다.

"우리가 헬리콥터로 이동하기 전에 전투기가 지원 나올 거야."

강철규가 놀람과 의아함이 꼭 반반씩 섞인 얼굴로 강찬을 보았다.

"대대적인 폭격을 가한 뒤에 그 라인으로 다가가면 어느 정도 승산이 있을 것 같은데?"

"전투기가 지원 나오는 게 분명하냐?"

강찬은 확실하게 고개를 끄덕여 주었다.

"그렇다면 해 볼 만하지. 이쪽 라인을 집중적으로 때려 주면 충분할 것 같은데? 그 뒤에 우리 애들이 가장 먼저 들어가서 길을 확보하고… 그렇다면 되겠다."

강철규가 지도를 외우는 것처럼 들여다보았다.

"무리하지 마."

강찬은 나직하게 말을 건넸다.

"무시하는 게 아니라, 저놈들은 지금까지 상대하지 못했던 방식으로 나와. 산에 아이들을 혼자 묶어 둘 정도니까. 그리고 자원해서 몸에 폭탄을 묶고 달려드는 아이들도 있어."

고개를 반쯤 돌리고 있던 강철규가 피식 웃었다.

뭐야? 기껏 생각해 줬더니!

'웃는 모습을 바꾸든가 해야지.'

아무튼, 저 웃음은 보는 사람을 묘하게 자극한다.

"다 끝난 거지?"

강찬이 일어서려고 할 때였다.

"밥은 먹었냐?"

강철규가 나직하게 질문을 던졌다.

저 질문을 하는 게 저렇게 곤란한 일인가?

"컵라면하고 도시락 먹었어."

강찬은 자리에서 일어났다.

"한숨 자 둬. 내리자마자 많이 힘들 거야."

"그러마."

이런 대화가 이렇게 뻑뻑한 느낌으로 오갈 줄은 몰랐다. 자리에서 일어난 강찬은 바로 일등석 칸으로 움직였다.

"다녀왔소?"

"응."

강찬이 자리에 앉기 무섭게 석강호가 의자를 뒤로 젖혔다.

제라르는? 이미 잠들어 있었다.

전투를 앞둔 시점이다. 여유 있을 때 한숨이라도 자 두는 것이 결정적인 순간에 커다란 힘이 된다.

강찬은 의자를 뒤로 젖히고 바로 눈을 감았다.

땡. 땡. 땡. 땡.

조명등이 점멸하며 알람이 울렸다. 도착 20분 전이라는 의미였다.

잠이 깬 강찬은 의자를 세우고 머리를 털어 냈다.

"어흑!"

건너편 자리에서 석강호가 목을 풀어 댔고, 좀 더 부지런한 제라르가 물병을 가지고 왔다. 확실히 아까와는 다르게 번들거리는 눈을 하고 있었다.

짜라락.

물병을 따서 물을 마시자 얼굴을 씻고 싶었다.

수송기라면 이 자리에서 물을 끼얹었겠지만, 민간항공기 바닥에 물을 흘리기는 그렇다.

"세수하고 올게."

강찬은 뒤편의 화장실로 가서 얼굴을 씻고 자리로 돌아

왔다.

이제 무장할 차례다.

"가자."

강찬의 말에 따라 일등석에 있던 모두가 함께 움직였다.

비지니스 석을 지나 뒤쪽으로 들어섰을 때였다.

철컥. 철커덕. 철컥. 철컥.

대원들이 군복을 갈아입고 무기를 착용하고 있었다.

"여기 있습니다."

윤상기가 커다란 자루를 건네주었다.

회백색 군복, 소총, 권총, 수류탄, 대검, 탄창, 무전기.

철컥! 철컥! 철커덕!

늘 하던 일이다.

10분쯤 지나자 비행기에 있는 모두가 군복과 무기, 그리고 무전기를 완벽하게 갖췄다.

땅. 땅. 땅. 땅.

착륙 시그널이다.

자리에 앉자 비행기가 커다랗게 몸통을 틀었다.

밖은 아직 훤한 시간이었다.

아프가니스탄 카불. 창밖으로 전에 보았던 공항의 모습이 펼쳐졌다.

⚜　　⚜　　⚜

중국, 신장 위구르 자치 구역 허텐(和田) 지구.

박승용의 선글라스에 군 활주로가 고스란히 비쳤다.

8대의 KF-16 전투기로 허텐 지구 군 공항에 도착한 지 30분이 지났다. 그때부터 계속 황량한 벌판에 덜렁 놓인 2층짜리 관제 건물과 관리가 제대로 되지 않은 활주로를 보고 있는 거였다.

"이거 참!"

박승용이 뒤를 돌아보았다.

공군은 해외 참전이 어렵다. 공중전이냐, 폭격이냐에 따라 무장이 다르고, 항공모함이 아니라면 정비팀과 무장팀이 동행해야 하는 불편함이 따른다.

그래서 이기도는 물론이고, 함께 온 파일럿 모두 믿기지 않는다는 얼굴로 주변을 살피고 있었다.

대한민국 전투기가 아프가니스탄을?

박승용은 커다랗게 숨을 내쉬었다.

한국에서 이륙할 때까지도 중국 땅을 전투기를 탄 채로 가로지를 수 있다고 믿지 않았다.

북한도 북한이지만, 전시 작전권을 가진 미국의 입김을 이겨 내리라고 생각하지 못했다.

정말 그럴 수 있을까? 그렇게 될 수만 있다면…….

밤새 수없이 머릿속에서 전투기를 타고 떴다가 가라앉곤 했는데, 지금 중국의 끝에 서 있다.

이곳에서 15분이나 20분을 날아가면 목표 지점인 아프가니스탄의 루카인 거다.

"이기도."

"예."

같은 소령이라도 박승용은 짠물 소령이다.

"언제든 출격할 수 있게 대기한 상태에서 휴식을 취한다."

"알겠습니다."

박승용은 시선을 활주로로 돌렸다.

KF-16 전투기가 정비팀의 손길을 받으며 늠름하게 그를 기다리고 있었다.

폭격에 필요한 무기를 장착했다.

사실 F-15가 폭격에는 더 적합하지만, 공군작전사령부는 혹시 있을지 모를 상황에 대비해 KF-16을 지정했다.

민병대 정도라면.

박승용은 입술에 힘을 꾹 주었다.

⚜   ⚜   ⚜

공항에서 시간을 허비할 이유는 없었다.

비행기에서 내린 대한민국 특수팀은 바로 헬기에 나눠 타고 바자르로 향했다.

미국이 제공한 헬기다.

두두두두두두두두.

귀를 파고드는 프로펠러 소리, 몸을 스치고 달려가는 바람, 그리고 아프가니스탄의 냄새.

석강호와 제라르, 그리고 이제는 틀이 완전히 잡힌 최종일이 번들거리는 눈으로 앞을 바라보고, 다른 대원들은 무기를 쓰다듬거나 허공을 향해 시선을 주고 있었다.

이때가 생각이 가장 많아진다.

그리운 사람들, 내가 없어지면 가슴 아파할 사람들의 모습이 가장 간절하게 떠오르는 시간.

강찬은 헬리콥터의 벽에 기댄 채로 안쪽에 켜진 붉은 등을 보았다.

왜 이런 때 송창욱이 남겨 준 낡은 태극기가 떠오를까?

두두두두두두두두.

30분쯤 날아간 헬기가 바닥으로 내려앉았다.

"다예! 제라르!"

강찬의 손짓에 두 사람이 입구의 양쪽에 대기했다.

쿠웅.

헬기가 내려앉고 문이 열렸다.

훅.

바람, 흙먼지, 그리고 옅었던 냄새가 확실하게 헬기 안으로 뛰어들었다.

"앞쪽을 확보해!"

강찬의 지시다.

와락! 와라락!

석강호와 제라르, 그리고 대원 4명이 빠르게 뛰어나갔다.

바자르는 앞에 산을 둔 평지의 형태였다.

치잇.

[위쪽에 대원 둘 배치했고, 이상 없소.]

강찬은 빠르게 헬기에서 내려서 커다랗게 양손을 돌려보였다.

두두두두두두두.

멀찍이 대기하던 헬리콥터가 연달아 내려앉았고, 대원들이 뛰어내렸다.

먼저 내린 대원들이 가져온 짐을 내리는 틈이다.

강찬은 주변 지형을 살핀 다음, 산 아래를 가리켰다.

"차동균! 저쪽과 저쪽에 경계 세우고, 팀별로 막사 설치해!"

"예!"

대원들이 빠르게 움직였다.

강찬이 뒤편을 둘러볼 때였다. 강철규가 조용하게 다가왔다.

"우리가 산 위쪽을 살펴보고 싶다."

강찬은 강철규의 시선을 따라 산의 위쪽을 보았다. 저곳을 완벽하게 점거할 수 있다면 아래쪽은 그만큼 여유가 생긴다.

"부탁해."

"여차하면 요소에 2명씩 경계를 배치할 테니까 아군에게 알려 줬으면 싶다."

"경계는 증평 특수팀에게 맡기지?"

"저격수가 60명이나 된다는 말이 아무래도 걸린다. 그런 건 우리 애들이 나을 테니까 맡겨 다오."

강찬은 고개를 끄덕이며 입을 열었다.

"방탄복 입는 게 어때?"

실제로도 강철규를 비롯한 비무장팀 대원들은 누구도 방탄복을 입지 않았다.

"우리는 이렇게 움직였다. 예전엔 이런 걸 입지 않았던 데다 매복이나 암살에 워낙 방해되니까."

누구나 특기가 있는 거다. 어쩌면 저격수에게 가벼운 총을 쓰라는 느낌일 수도 있어서 강찬은 더 권하기 어려웠.

30분쯤 걸렸다. 탄약을 비롯한 무기들을 옮기고, 막사를 설치하는 데 걸린 시간이 말이다.

강찬은 강철규, 차동균, 정원민, 그리고 강명구를 중앙 막사로 불렀다.

"여기 시간으로 시계를 맞춰! 지금이 오후 3시 29분! 그리고 증평팀이 이곳 경계를 맡고, 비무장팀이 외곽을 체크

한다. 오인하는 일이 없도록 주의해. 준비됐지? 하나, 둘!"

따각.

시간을 맞춘 대원들이 동시에 조절 레버를 눌렀다.

"지원팀이 도착하는 대로 작전을 짜고 바로 출발하겠다. 그때까지는 각자 알아서 휴식하고, 비무장팀은 최대 반경 2킬로미터를 벗어나지 않도록 해 줘."

"알았다."

강철규가 굳은 얼굴로 답을 하고 나서 흩어졌다.

"커피 한 잔 드시겠소?"

"줘."

답을 한 강찬은 소총을 건 채로 막사를 나서 앞에 펼쳐진 산을 훑어보았다.

높은 산이다. 중간에 얇은 나무들이 제법 빽빽한.

이곳에서 루카까지 사리차 로드를 이용하면 자동차로 30분 거리이고, 만약 이곳에서 산을 타고 바로 루카 지역으로 가려면 대략 18시간이 걸린다.

헬리콥터를 이용해 산악에 내리고, 산을 타고 내려가는 작전.

무언가 서늘한 느낌에 강찬은 천천히 산의 저쪽 끝에서 반대쪽 끝을 둘러보았다.

철컥. 철컥.

소총 소리, 커피 냄새와 함께 석강호와 제라르, 통역 대원이 다가왔다.

"다른 놈들은 언제쯤 오는 거요?"

"도착할 때가 됐을 거다."

석강호가 커피를 건네주었다.

"안드레인가 하는 놈 면상이 벌써 기대되우."

강찬이 피식 웃을 때, 뒤늦게 말을 전해 들은 제라르가 비슷한 느낌으로 따라 웃었다.

강찬은 커피를 마시며 다시 산을 둘러보았다.

뭐지? 이 서늘한 느낌은?

심장이 쿵쾅거리며 주는 경고도 아니고, 본능이 전하는 경고는 더더욱 아닌, 지금까지 느끼지 못했던, 마치 얼음물이 등줄기를 타고 흐르는 듯한 서늘함.

긴장해서 그런가?

워낙 큰 전투고, 이 전투를 책임진 책임자여서?

"후우."

강찬이 뜨거운 커피를 식히는 것처럼 숨을 내쉴 때였다. 윤상기가 급한 걸음으로 다가왔다.

"위성 전화입니다."

누군지 아직 듣지 못했다.

이건가?

강찬은 종이컵을 건네주며 위성 전화를 받았다.

"여보세요?"

[상황실입니다.]

김형정은 무척이나 급한 목소리였다.

[러시아, 중국, 독일의 파병이 취소됐다는 연락이 조금 전 국가정보원으로 들어왔습니다. 사유는 대통령의 재가를 받지 못했답니다.]

강찬은 힐끔 산을 보았다.

왜 자꾸 저 위로 시선이 가는 거지?

[독일에서 전화 통화를 요구하고 있습니다. 번호를 알려 줘도 되겠습니까?]

"그렇게 해 주세요."

[통화가 끝나는 대로 일단 철수하시는 것이 좋지 않을까 싶습니다.]

"통화하고 알려 드릴게요."

통화를 끊은 강찬은 궁금해하는 석강호와 제라르를 향해 입을 열었다.

"3개국 지원팀이 취소되었단다. 그쪽 대통령이 재가를 하지 않았다는데 아무래도 수상해. 독일의 루드비히가 전화를 하고 싶다고 했다니까 일단……."

뚜르르르르. 뚜르르르르.

그때 전화가 울려서 강찬은 바로 통화 버튼을 눌렀다.

"여보세요?"

[나요.]

루드비히가 급한 프랑스 말을 쏟아 냈다.

[급하니까 내용만 먼저 전합니다. 로망이 프랑스 대통령을 등에 업고 완벽하게 반기를 들었습니다. 통화하기 직전에 이란에서 전투기와 전폭기 30대가 발진했어요! 일단 피하세요!]

이거였구나!

강찬은 산 너머의 하늘을 보았다.

[30분 이내로 도착할 테니 서두르세요!]

"30분이면 헬기에 타고 있다가 전투기를 만납니다."

[그렇더라도 일단 그곳을 나와야 합니다. 완벽한 함정이 되었습니다. 그 외에도 쿠드스 200명이 이동한 흔적이 나왔습니다.]

"움직이고 통화하지요."

[제발 나오세요! 로망은 우리가 어떡해서든 제거하겠습니다.]

"알겠습니다."

아무리 바닥에서 날고 기어도, 이 병력으로 전투기를 상대할 수는 없다.

강찬이 전화를 끊는 순간이었다.

두두두두두두두두.

헬리콥터의 엔진 소리가 들렸다.

석강호와 제라르가 고개를 돌린 곳에서 헬리콥터가 떠오

르고 있었다.

염병!

지금 달려간다고 저놈들을 잡을 수 있는 건 아니다.

강찬은 빠르게 무전기에 손을 올렸다.

치잇.

"전 대원 전투 준비!"

석강호와 제라르가 놀란 얼굴로 주변을 둘러보았다.

지금은 따로 설명할 시간이 없다.

"이란의 전투기가 이쪽으로 향한다. 헬리콥터의 협조는 포기하고, 산으로 대피하겠다. 막사는 버린다. 무기와 탄약만 챙겨! 남은 시간은 30분이다."

무전이 끝남과 동시에 바쁘게 움직이는 소리가 울려 나왔다.

"다예! 증평팀과 앞을 맡아!"

"알았소!"

석강호가 빠르게 뛰어갔다.

30분? 강찬은 빠르게 위성 전화의 버튼을 눌렀다.

[상황실입니다.]

"이란에서 전투기와 전폭기 30대가 우리를 노리고 출발했답니다. 아군 전투기는 몇 대나 와 있습니까?"

[8대가 대기 중입니다.]

"후우!"

공중전을 잘 모르지만, 단순히 생각해도 이건 싸움이 안 된다.

강찬은 이를 악물고 산을 노려보았다.

[일단 발진시키겠습니다!]

"상대가 안 돼요. 애꿎게 죽게 할 필요 없습니다."

[최소한 대피할 시간을 벌 수 있을 겁니다!]

김형정이 악을 쓰는 것처럼 소리쳤다.

⚜ ⚜ ⚜

뚜르르르르. 뚜르르르르. 뚜르르르르.

"파견소입니다."

위성 전화를 받은 박승용이 약속된 구호를 불렀다.

[이란에서 우리의 목표 지점으로 전투기와 전폭기 30대를 발진시켰습니다. 아군의 피할 때까지 시간을 벌어야 합니다.]

"교전이 가능합니까?"

[판단은 파견소에서 하시면 됩니다.]

"출발하겠습니다."

전화를 끊은 박승용이 바로 고개를 돌렸다.

"무기를 바꿔!"

정비팀이 놀란 얼굴로 고개를 돌렸다.

"적기다! 공중전에 맞게 무기를 빨리 교체해!"
정비팀이 급하게 비행기로 달려들었다.
"출격 준비!"
우르르르!
박승용과 파일럿들이 있는 힘껏 전투기를 향해 달렸다.

제4장

당신을 믿습니다

박승용은 사다리를 타고 조종석에 올랐다.

무장팀은 물론이고, 정비팀까지 기체에 매달려 무기들을 조절하고 있었다.

헬멧을 쓰고, 캐노피를 내린 박승용은 답답해 미칠 것 같은 심정으로 밖을 보았다.

"30분이다. 아군이 위험하다. 부탁한다."

그의 무전이 아니어도 무장팀이나 정비팀이 게으르게 손을 놀리지는 않는다. 그러나 박승용은 단 1초라도 벌고 싶었다.

'제발!'

거리를 감안해야 했다.

지상군에게 전투기가 얼마나 끔찍한 위력을 발휘하는지 누구보다 잘 아는 박승용이다.

그때였다. 무장팀이 기체에서 멀어지며.

덜컹.

사다리가 제거되었다.

그가 왼편으로 시선을 돌렸을 때 정비팀장이 내민 엄지가 보였다.

'대한민국의 하늘을 부탁합니다!'

훈련에서, 비상 출동에서 수도 없이 주고받았던 사인이다.

오늘 같은 날을 위해, 적에게서 대한민국을 지키기 위해, 우리의 하늘을 수호하고자.

우우우우우웅.

기체가 달려가자고 악을 쓰고,

박승용은 왼손을 들어 엄지를 치켜세웠다.

'당신을 믿습니다!'

그의 엄지를 확인한 정비팀장이 검지와 중지를 뻗어 앞을 가리켰다.

후우우우우우웅!

전투기가 거칠 것 없이 달려 나갔다.

⚜ ⚜ ⚜

치잇.

[150미터 앞쪽에 동굴이 있습니다!]

남일규의 무전이 곧바로 들어왔다.

그사이 그 넓은 범위까지 확인할 줄은 몰랐다.

치잇.

[비무장팀! 대원들을 그곳으로 인솔해!]

존댓말? 지금 그런 거 따지는 놈이 정신병자인 거다!

치잇.

[대원 배치합니다.]

동굴이 너무 높은 곳에 있는 건 아닌지, 얼마나 깊은지를 따질 틈이 없었다. 일단 머리를 감출 수 있는 곳, 가능하면 위에서 입구가 안 보이는 곳이길 바랄 수밖에 없었다.

와락! 와라락!

강찬이 달려 나가는 것과 동시에 막사에 있던 제라르, 최종일, 우희승이 그 뒤를 따랐다.

"서둘러! 저거 도와줘!"

최종일과 우희승이 탄통과 수류탄이 담긴 상자들을 나눠 들었다.

의약품 등의 기본 장비를 등에 진 대원들이 산을 향해 달려갔고, 비무장팀 대원들이 중간중간을 지킨다.

강찬은 순간 등골이 오싹했다.

산이 자꾸만 시선에 들어왔던 이유!

치잇.

"비무장팀! 동굴 주변의 저격수를 최대한 확인해! 이 상태에서 저격당하면 누구도 못 피해!"

강찬이 무전에 대고 명령을 내린 다음이었다.

치잇.

[남일규! 대원 셋과 입구에서 9시 방향. 양동식! 대원 셋과 12시! 남은 곳을 내가 맡는다.]

강철규의 단단한 무전이 연달아 들려왔다.

대원들 전체가 듣는 무전이다. 그러니 따로 조심하라는 잔소리를 하지 않아도 알아서 대원들이 움직인다.

150미터 거리라고 했다.

그곳까지 10분쯤 걸릴까? 25분 정도면 도착하는 전투기를 앞에 두고 말이다.

'이 개새끼들이!'

동굴 앞에 몰렸을 때 사격을 하거나, 동굴에 다 들어간 다음에 미사일 서너 방 갈기면 아예 모두 끝나는 상황이었다.

치잇.

"차동균! 동선에 따라 적 저격수가 있을 만한 곳을 노리고 우리 저격수 배치해! 20분 뒤 자동 철수다!"

치잇.

[알겠습니다!]

치잇.

"다예! 동굴 앞 경계 확실히 해!"

치잇.

[알았소!]

치잇.

"동굴에 들어간 다음에 미사일을 발사할 수도 있다! 비무장팀! 적의 사격 반경을 확실하게 체크해! 남은 시간이 얼마 없어!"

치잇.

[알았다.]

강철규의 답을 마지막으로 무전을 마친 강찬은 빠르게 시선을 돌렸다.

"제라르! 나와 저 뒤편으로 올라간다! 적 저격수가 있을지 몰라! 미사일이 있을 수도 있고!"

"Oui!"

강찬은 산을 따라 오른쪽 평지로 달려 나갔다.

쩔꺽! 쩔꺽!

소총과 권총, 대검이 울리는 소리를 들으며 강찬이 능선으로 뛰어들었을 때였다.

치잇.

[저격수 배치 완료!]

차동균의 무전이 들렸다.

⚜ ⚜ ⚜

쒜에에에에엑.

8대의 전투기가 하늘을 가를 것처럼 날고 있었다.

"적의 기종은 아직 확실하지 않다."

박승용이 4대, 이기도가 다시 4대를 지휘한다.

"이란의 공군력은 잘 알고 있을 테니 긴말 않겠다."

교전이 벌어지면 1번과 3번기, 2번과 4번기가 각각 엄호하고, 다시 1조와 2조가 큰 틀로 움직인다.

박승용은 캐노피 바깥의 좌우를 둘러보고 말을 이었다.

"폭격은 잊어라. 우리의 목표는 아군을 지키는 일이다."

하늘이다.

지평선이 지구 모양을 따라 둥글게 보이는 하늘.

땅이 천천히 흐르는 것 같지만, 어지간한 사람들은 이 속도에서도 숨을 제대로 못 쉬고, 몇몇은 구토를 한다.

[교전이 가능합니까?]

그때, 이기도의 질문이 무전을 타고 들어왔다.

박승용은 먼저 '알아서 판단하라'는 상황실의 답을 떠올렸고, 이어서 눈끝에 다짐을 달았다.

"아군을 공격하는 적은 모두 격추시킨다."

적기의 숫자가 30이라는 것을 잊은 듯한 박승용의 답이 무전을 타고 넘어갔다.

⚜ ⚜ ⚜

"이란에서 추가 이륙이 없도록 막아야 해."

[바실리, 그 점은 양범을 믿어야 한다.]

바실리는 냉정한 눈으로 앞에 놓인 모니터를 주시했다.

"로망이 정치권을 건드려 놨으니 다윗의 별이 움직일 수밖에 없겠군."

[무슈 강이 살아 있어야 의미가 있는 일이다.]

이를 악문 바실리가 잠시 멈칫했다가는 다시 입을 열었다.

"로망은 어떻게 하겠나?"

[이미 요원들을 파견했다.]

"좋아. 그렇다면 나도 조쉬에게 KGB의 무서움을 가르쳐 주지."

[총리와 면담이 끝나는 대로 지젠느를 다시 파견하겠다.]

"스페츠나츠는 3시간이 필요하다."

[그렇다면 무슈 강이 6시간을 버텨 줘야 하는군.]

아쉬움이 짙게 묻은 루드비히의 음성이었다.

"흥! 무슈 강이 이 정도에서 죽었을 거라면 벌써 내가 손을 썼을 거다, 루드비히."

[알았다. 총리를 만나고 바로 전화하지. 그런데 정말 라노크가 기대했던 것이 이런 상황이었을까?]

당신을 믿습니다 • 127

"이 정도는 아니어도, 이런 모양은 기대했겠지. 이후의 상황은 완전히 달라진다. 물밑 협상으로 끝나는 일이 아니야. 이 작전에서 무슈 강이 승리한다면 다윗의 별은 고개를 내밀더라도 우리 대통령, 독일의 총리, 중국의 주석, 그리고 프랑스와 상대해야 돼."

[무슈 강의 존재가 이렇게나 커질 줄은 몰랐다.]

"서글픈 조연들의 대화는 이만하자. 서둘러라, 루드비히."

통화를 마친 바실리가 연이어 버튼을 눌렀다.

잠시 침묵이 이어진 다음이었다.

[대통령의 통화를 내게 감춘 놈이 누구냐?]

고개를 갸웃한 바실리가 입술 한쪽을 움직이며 웃었다.

"그놈과 아이들, 형제, 살아 있는 가족 전체를 전부 체포해. 증거는 알아서 제출하고, 죄명은 무기 밀매다. 한 사람 정도는 반항할 필요가 있으니까 부인은 반항하다가 현장에서 사살하는 것으로 치우고, 나머지는 시베리아 종신형 정도가 좋겠다."

잠시 답을 들은 라노크가 고개를 끄덕였다.

[대통령께는 내가 보고하겠다.]

전화기를 내려놓은 바실리가 보드카 병을 집었다.

쪼로록.

보드카가 가득한 잔을 든 그가 눈빛을 빛냈다.

"라노크, 이 무서운 인간! 결국, 이 바실리가 가진 모든 것을 걸게 만들었군!"

바실리는 마치 눈앞에 라노크와 강찬이 있다는 듯한 표정이었다.

"무슈 강! 그런 곳에서 죽어 나자빠지면 너는 지옥에도 못 있을 거다. 내가 가만두지 않을 테니까."

단숨에 잔을 털어 넣은 바실리가 독한 술 때문이라는 것처럼 인상을 찌푸렸다.

⚜ ⚜ ⚜

"멍청한 것들!"

UIS 와랍 아메디가 분통을 터트렸다.

헬리콥터가 뜨든, 산을 타고 올라오든, 단숨에 적을 해치울 생각으로 기껏 배치한 저격수다. 그런데 전투기가 발진하면서 커다란 그림의 한쪽이 엉망으로 망가지고 있었다.

단순히 한국의 전투기를 막아 주는 것으로 알았다.

'이렇게 손발이 안 맞아서야!'

아비부가 없어지면서 의사소통이 제대로 이뤄지지 않는 것이 가장 아팠다.

로망 따위? 프랑스 정보총국의 지시를 고분고분하게 따를 UIS가 아닌 거다.

아메디는 탁자의 끝을 움켜쥐었다.

UIS의 개국과 그에 따른 전 세계의 테러, 그리고 그 뒤에 감춰진 엄청난 거래를 우습지도 않은 한국이 홀로 막아서는 꼴이었다.

빌어먹을 한국의 애송이가 앞장서서 말이다.

"전투기가 돌아갈 때까지 지켜보겠다. 저격수들에게 기회가 되면 미사일을 발사하거나, 저격하라고 지시해라."

명령을 받은 수하가 곧바로 토굴을 나섰다.

⚜   ⚜   ⚜

10분쯤 남았다.

강찬의 무전을 모두 들어서 상황은 완벽하게 파악했다.

치잇.

[대장, 일단 동굴 앞이요. 저격수 확인이 끝날 때까지 잠시라도 대기하겠소.]

먹을 것 밝히고, 헤딩하는 것 외에 머리를 못 쓴다고 욕을 먹지만, 전투에서는 누구 못지않은 석강호다.

대원들을 동굴 주변에 넓게 퍼트린 석강호가 무전을 날리고 날카롭게 맞은편을 보았다.

짐작 가는 곳은 모두 다섯 곳.

사람이 들고 쏘는 미사일은 한계가 분명해서 동굴보다

너무 높으면 입구나 터트리지, 더 큰 효과를 기대하기는 어렵다.

'서두르쇼!'

석강호가 시계를 들여다보았다.

산을 달려 올라간 강찬은 소리를 죽인 채로 아래로 내려갔다.

저격수는 2인 1조가 기본이다.

그러나 위장막 뒤집어쓰고, 그 위에 나뭇가지와 풀을 꽂은 채 혼자 처박혀 있는 놈들이 더 무섭다.

산의 중간쯤에서 대각선으로 내려가는 길이다.

시간이 너무 부족했다. 30분에서 아무런 소득이 없이 벌써 15분쯤 흐른 거다.

부스슥.

급해서 그랬나? 군화의 오른쪽 끝에 걸린 흙이 잘게 부서졌다.

소총을 겨눈 제라르가 오른쪽을 경계했고, 강찬 역시 소총을 든 자세로 반대편을 살폈다.

후욱. 후욱.

'하나, 둘, 셋, 넷, 다섯.'

적의 반응은 없었다.

강찬은 앞을 향해 고갯짓을 했다.

둘이 함께 움직이는 것은 위험한 짓이다. 그래서 이번엔 앞에 있는 강찬이 엄호하고, 뒤에 있던 제라르가 앞으로 나갔다.

강찬은 산을 타고 내려가는 제라르의 앞쪽을 살폈다.

뾰족한 나뭇잎에 갈라진 햇살이 바람에 흔들릴 때였다.

멈칫.

제라르가 굳은 것처럼 움직임을 멈췄다. 그러고는 V자 모양으로 검지와 중지를 위로 들었고, 손가락을 붙여 앞을 두 번 가리켰다.

적이다. 그것도 두 놈.

후욱. 후욱.

강찬은 조심스럽게, 그런 와중에도 빠르게 제라르에게 움직였다.

개새끼들!

20미터 아래의 수풀 사이에서 전혀 엉뚱한 각도로 삐죽하게 나와 있는 풀들이 보였다.

저격수, 그리고 3보쯤 떨어진 곳에 엄호병이 잔뜩 긴장한 채 동굴을 노려보고 있었다.

강찬은 쪼그린 자세에서 소총을 들었다. 그리고 제라르를 보았다.

'하나, 둘!'

푸슝! 퍽! 푸슝! 퍼억!

저격수의 머리가 수박처럼 터졌고, 엄호병은 제라르의 소총에 목이 뚫렸다.

푸슙! 퍼억!

강찬은 바로 한 발을 더 갈겼다. 엄호병의 대가리 뒤편으로 시뻘건 피가 튀었다.

강철규가 왼편 어깨에 걸었던 대검을 뽑아 드는 순간이었다.

근처에서 소총 소리가 들렸다.

세 발이다. 연달아 두 발에 한 발은 뒤늦게 나왔으니, 두 놈을 잡고 추가로 확인 사살을 한 거다.

'강찬이구나!'

강철규는 있는 대로 자세를 낮추고 적의 반응을 살폈다.

힐끔 뒤를 돌아본 적이 다시 소총에 눈을 디밀었다.

후욱. 후욱.

이런 거, 너희가 젓가락질 배울 때부터 했던 일이다.

다가갈 때 뒤에서 총을 갈기는 적이 가장 무섭다. 강철규의 동작을 본 대원 둘이 아예 몸을 돌려 뒤를 지켰다.

강철규는 먹이를 발견한 표범처럼 잔뜩 웅크린 자세로 바닥에 붙다시피 나아갔다.

풀보다 낮게 가라앉은 강철규의 머리가 한순간 나는 것처럼 앞으로 나갔다.

휙!

적이 화들짝 고개를 돌렸고, 강철규와 눈이 마주쳤다.

강철규의 왼손이 뻗는가 싶은 순간,

으드득!

저격수의 목이 돌아갔고,

푸욱!

거의 동시에 오른손의 대검이 엄호병의 목을 꿰뚫었다.

스거억!

강철규는 엄호병의 목 한가운데를 관통한 대검을 그대로 당겼다. 그리고 피 묻은 대검을 든 오른손의 검지와 중지로 눈을 가리킨 다음, 다시 앞쪽으로 뻗었다.

대원 둘이 빠르게 숲으로 모습을 감췄다.

남일규는 따르는 대원 둘을 향해 고갯짓을 했다.

둘이다.

저런 놈들쯤 혼자서도 충분하지만, 지금은 시간이 아쉽다.

소총 소리를 들었다. 강철규나 양동식은 절대 총을 쏘지 않을 테니 분명 강찬이 나서서 저격수를 잡은 거다.

대원 둘이 자세를 잡고는 남일규에게 시선을 주었다.

'하나, 둘, 셋!'

사사삭!

푹! 푸욱!
적이 고개를 돌리는 순간, 두 놈의 목에 대검이 꽂혔다.
스거걱!
그리고 동시에 적의 목을 가른 대검이 밖으로 나왔다.
남일규는 시선을 들어 앞을 가리켰다. 시간만 여유 있다면 모가지를 잘라서 나무에 매달았을 거다.

스걱! 스거억!
양동식이 저격수의 목에 깊게 박힌 대검을 목젖 방향으로 당겼다. 꿈틀거리는 적의 목 근처가 온통 피로 물들었지만, 신경 쓸 것은 이게 아니었다.
'서둘러!'
양동식은 독기가 잔뜩 오른 눈으로 앞을 가리켰다.
후다닥!
대원 둘이 달려 나갔다.
대한민국 군인을! 부원장을! 빛나는 후배를 노린 놈들!
양동식이 앞으로 움직일 때였다.
부슈웅! 퍼어억!
앞을 달리던 대원의 머리가 꺾이며 피가 튀었다.
털썩!
총을 맞은 대원의 몸이 바닥에 고꾸라질 때, 양동식은 바닥에 엎드려 위를 보았다.

위다!
저 위에 적이 있었다.

총소리는 강찬도 들었다. 방향도 짐작 갔다.
문제는 시간이다. 저 위까지 가려면 절대로 시간이 부족했다.
그렇다고 저격수를 둔 채로 동굴로 들어갈 수도 없을뿐더러, 들어가서도 안 된다.
강찬은 빠르게 무전기의 버튼을 눌렀다.
치잇.
"비무장팀! 저격수를 잡은 팀은 무전기 버튼만 눌러서 신호해."
치잇. 치이잇. 치잇.
세 번의 신호가 연달아 들렸다.
치잇.
"5시 방향에서 내가 하나 잡았으니 모두 네 팀이다. 비무장팀은 이제부터 동굴 쪽으로 움직인다."
무전을 하는 강찬의 옆을 제라르가 날카롭게 지켰다.
"루카까지 가는 길에 저격수를 해결해야 하고, 요인 암살을 맡아 줘야 한다. 욕심 부리지 말고, 동굴 쪽으로 움직여."
강찬이 무전을 마친 직후였다.
치잇.

[철수해라.]

강철규의 무전이 곧바로 들렸다.

"제라르! 저기 두 놈은 우리가 해결한다."

"Oui!"

제라르가 독한 눈빛으로 고개를 끄덕였다.

강찬이 위로 올라가는 순간이었다.

쒜에에에에에엑!

비행기 소리가 들렸다.

휙!

그리고 고개를 들었을 때 구름 사이를 가르는 전투기가 보였다.

염병!

생각보다 더 빨리 도착했다.

강찬은 이를 악물고 위를 향해 달렸다.

쒜에에에에엑!

아군을 발견한 적기가 넓게 퍼지기 시작했다.

"이기도! 팬텀을 맡아! 무슨 일이 있어도 아군에게 폭격 못하게 해!"

위이이이이이잉!

적기와 상공에서 만나는 건 무섭다. 첨단 장비가 발달한 지금은 도그파이트(Dog fight, 근접전)보다 레이더와 미사일의 성능이 승부를 가름하기 때문이었다.

"이기도가 팬텀을 잡는 동안, 우리는 미그기를 막는다!"

박승용은 사이드 스틱을 당겼다.

후우우우우우웅!

기체가 위로 치솟고,

삐삐삐삐삐삐.

하늘이 반쯤 기울며 땅과 뒤섞였다.

"1번기! 뒤에 적기 붙었습니다!"

"시간이 필요해!"

삐삐삐삐삐삐.

레이더 가동 범위 안에 적기가 들어왔다.

승부욕? 명예? 엿이나 먹어라!

팬텀은 지상군을 폭격하기 위해 달려온 거다.

미그기를 하나라도 더 잡고, 적기를 최대한 끌어들여야 이기도가 저 빌어먹을 팬텀을 잡는다.

그리고 공중전이 벌어지는 동안, 적어도 아군은 무사하다.

그아아아아앙!

지상의 땅들이 3차원 그래픽처럼 스쳐 지나갔다.

'제발!'

위이이이이이이잉!

하늘과 땅이 뒤엉키며 돌았다.

삐삐삐삐삐삐삐.

"1번기! 후방 적기 근접! 위험합니다! 위험합니다!"

박승용은 이를 악물며 사이드 레버를 밀었다.

삐이이이이!

그 순간, 적기가 타깃 상자에 담기며 레이더 락 알람이 울렸다.

달칵.

박승용이 발사 버튼을 누르자.

피슈우우우우우우!

날개 끝에서 암람이 발사되었다.

박승용은 사이드 스틱을 사정없이 당겼다.

그의 팰콘이 서다시피 수직으로 치솟는 순간이었다.

"내 뒤에 적기가 붙었다!"

3번기의 다급한 외침이 들려왔다.

우우웅! 위이이아아아앙!

거꾸로 돈 팰콘이 땅으로 곤두박질치는 순간, 박승용은 아득해지는 정신을 잡기 위해 이를 악물었다.

"3번기! 적기 안으로 들어가! 내가 잡는다!"

후이이이이잉!

아래를 스치고 지나가는 적기에 팰콘이 흔들렸다.

"회피기동!"

박승용은 연속으로 악을 쓰며 스틱을 좌측으로 틀었다.

당신을 믿습니다 • 139

콰으으으웅!

아군에게 격추된 적의 팬텀 한 대가 불을 뿜으며 아래로 떨어지고,

띠띠띠띠띠띠띠.

박승용의 팰콘이 적의 레이더 조준 범위에 들었다는 경고음을 연달아 쏟아 냈다.

"3번기! 지금이다!"

휘이이이잉!

박승용은 3번기가 오른쪽으로 돌다가 왼쪽으로 트는 틈을 파고들었다.

적은 F-4 팬텀을 12기나 끌고 왔다. 이 근처를 완전히 불바다로 만들겠다는 강한 의지가 담긴 편성인 거다.

거기에 F-14 톰캣이 10기, 미그 29가 8기다.

콰으으으으웅!

그사이 또 한 대의 적 팬텀기가 불을 뿜으며 아래로 떨어졌다.

띠띠띠띠띠띠띠.

뒤엉켰지만, 허공이다.

박승용의 뒤를 적기가 악착같이 따라붙고 있었다.

회피 기동?

명칭은 좋은데 막말로 '페인트 모션'이다.

오른쪽으로 가는 것처럼 크게 선을 그리다가 느닷없이 왼

쪽으로 가는 것!

박승용은 스로틀 레버를 밀면서 사이드 스틱을 몸 쪽으로 세차게 당겼다.

휘이이이이잉!

하늘과 땅이 거꾸로 변했다가 다시 제자리로 돌아왔다.

3번기가 적의 추격을 따돌린 순간이었다.

콰아아앙!

[7번기! 탈출해! 탈출하라고!]

폭발음이 들렸고, 연달아 이기도의 고함이 터져 나왔다.

팬텀을 노리던 7번기가 당했다. 3번기를 엄호하던 그 짧은 사이에 말이다.

날개에 불이 붙은 7번기가 고꾸라지는가 싶더니,

퍼어어엉!

탈출도 못했는데 공중에서 폭발했다.

죽음을 아쉬워할 틈?

[내 뒤에 붙었다! 내 뒤에 적이 붙었다!]

이어져서 이기도의 다급한 무전이 들려왔다.

박승용은 스로틀 레버와 사이드 스틱을 거침없이 움직였다.

위이이이이잉!

하얗게 빛나는 해가 캐노피의 오른쪽에서 왼편으로 스치고, 땅과 하늘이 왼쪽에 반, 오른쪽 반으로 보인다.

"내가 잡는다! 5번기!"

삐삐삐삐삐삐.

적의 기체가 미사일 범위에 들어왔고,

띠띠띠띠띠띠.

박승용의 팰콘도 적의 미사일 범위에 담겼다.

"1번기! 위험합니다! 나오세요!"

여기서 나가면 이기도가 맞다. 그리고 여기에서 5번기 이기도를 잃으면 적의 팬텀이 여유를 갖는다.

기체를 좌우로 비트는 이기도를 미그 29가 따라붙고, 그 뒤를 박승용이, 다시 또 다른 미그 29가 박승용을 노린다.

숫자가 너무 부족했다.

'내 목숨은 이미 태극기에 바쳤다!'

박승용은 팰콘을 위로 들었다가 삽시간에 아래로 내리꽂았다.

삐이이이이이.

달칵.

피슈우우우우우우!

날개 끝의 암람이 날아가는 순간이었다.

박승용의 팰콘이 옆으로 던진 것처럼 회전하며 멀리 날아갔다.

쒜에에에에에엑!

전투기의 엔진음이 몸을 파고드는 것처럼 들렸다.

강찬은 이를 악문 채로 위를 향해 달렸다.

저격수가 움직이면 그만큼 잡기 어렵다. 다행이라면 적기가 폭격을 하지 못했고, 비행기 소리에 어지간한 발소리는 아예 들리지도 않는다는 것이었다.

"허억! 허억!"

정상 근처까지 달린 강찬과 제라르가 가쁜 숨을 내쉬었다.

잡는다! 이 개새끼를 잡아야 아군이 동굴로 피한다!

강찬은 제라르에게 세 곳을 가리켰다. 제라르가 맡아야 할 공간이다.

후욱. 후욱.

숨을 고른 강찬은 천천히 앞으로 나갔다.

각도가 이상한 풀, 풀 사이에 불쑥 솟은 나무, 그것도 아니라면 지면과 다르게 올라온 자리.

쒜에에에에엑!

한데 뒤엉킨 비행기 소리에 몸이 저릿저릿했지만, 악착같이 보이는 것들에 집중했다.

8대가 30대를 감당하는 싸움이다.

우선 동굴에 몸을 피한 다음, 가능하다면 아군기를 빠져나가게 하고 싶었다.

높게 올라와서인지, 비행기 탓인지 바람이 좀 더 세게 불었다.

강찬은 나무와 나무를 의지해 조금씩 움직였다.

어디지? 어디 있지?

제라르도 아직 수색 중이다.

분명 이 근처일 텐데.

어쩌면 바로 옆이나, 코앞에 있는 건지도 모른다.

아니면 지금쯤 조준경 십자선에 머리를 걸었는지도.

치잇.

그때였다.

[대장. 내가 동굴 앞으로 움직일 거요. 저격수가 날 쏘기 전에 잡으쇼!]

석강호의 무전이 들어왔다.

이 미친 새끼!

강찬의 반경 바깥에 저격수가 있다면 석강호는 일단 대가리가 터지고 출발이다.

다급한 거다. 30대의 적기를 8대의 아군기가 막고 있어서 언제 폭격이 떨어질지 모른다는 생각이 석강호를 조급하게 만든 걸 거다.

아무리 전투기 소리가 요란해도 이곳에서 무전을 하기는 어렵다.

강찬은 독이 잔뜩 오른 눈으로 주변을 훑어갔다.

그의 눈이 사정없이 번들거렸다.

쒜에에에에엑! 쒜에엑!

[6번기! 빠져! 빠져!]

이기도의 고함에도 6번기는 고집스럽게 적의 팬텀을 따라잡았다.

지금 6번기가 쫓는 팬텀이 지상을 노린 것은 안다. 그렇더라도 미그기를 꼬리에 다는 건 너무 위험한 일이다.

그아아아아앙!

적기가 아래로 향했고, 뚝 떨어지는 것처럼 6번기가 밑으로 꽂혔다.

"6번기! 빠지라고!"

"잡았습니다! 적기를 잡았습니다!"

푸쉬이이이이이!

6번기가 암람을 발사한 직후였다.

그를 쫓던 미그기가 AA-11 미사일을 뿜었다.

콰으으웅! 퍼어어어엉!

적의 팬텀과 6번기가 동시에 허공에서 화염으로 변했다.

그아아아아앙!

박승용의 기체가 중심을 잃은 것처럼 뚝 떨어지다가는 한순간에 자세를 잡았다.

삐이이이이이.

6번기를 터트린 미그 29가 그의 레이더에 잡혔다.

달칵.

푸시이이이이.
콰으으으으으응!
'제발!'
박승용은 간절하게 바랐다.
지상군이, 며칠 전에 보았던 강찬이 피할 곳을 찾아 몸을 숨기길 말이다.

후욱. 후욱.
모든 것이 천천히 흘러가는 것처럼 보였다.
머리칼이 곤두설 정도로 날이 날카롭게 올랐고, 목과 등줄기가 서늘할 정도로 독기가 피어났다.
개새끼! 어디 숨어 봐라.
폭격을 각오하고도 아군을 노린다면, 나는 폭격을 각오하고 너를 잡아 주마.
강찬은 전에 없이 피어난 독기를……
멈칫.
강찬의 시선이 한 곳을 향해 굳었다.
유독 풀이 뭉친 곳. 그리고 바람이 불어도 뻣뻣하게 버티는 풀줄기.
강찬은 방아쇠에 손을 걸었다.
그리고 그 순간, 석강호의 무전이 들렸다.
치잇.

[지금 움직일 거요.]

피식.

봤다. 총구가 묘하게 움직이는 것을 말이다.

푸슝! 푸슝! 푸슝! 푸슝! 푸슝!

강찬은 대강 짐작되는 저격수의 대가리부터 몸통까지 3발, 그리고 그 너머에 2발을 연달아 갈겼다.

와락!

강찬이 먼저 뛰어들었고,

철커덕!

제라르가 옆에서 불쑥 달려들었다.

푸슝! 푸슝! 푸슝!

가슴을 맞아 울컥거리는 엄호병에게 강찬이 한 발, 제라르가 2발을 더 갈겼다.

중간에 놓인 RPG7이 강찬의 시선을 당겼다.

이 새끼들은 루트를 잡고 기다린 거다.

여기를 헬리콥터로 날았으면?

생각만으로도 끔찍한 결과가 나온다.

치잇.

"이쪽은 잡았다! 혹시 저격수가 더 있을지 모르니까 동굴에 들어갈 때 나눠서 뛰어 들어가!"

강찬이 무전을 마치는 순간이었다.

쒜에에에에에엑!

쿠우우우웅! 콰으으으웅!

앞쪽 산에서 커다랗게 불기둥이 치솟고, 땅이 흔들렸다.

폭격이다!

치잇.

"서둘러!"

강찬이 고함을 지른 다음이었다.

쒜에에에에에엑!

앞산을 폭격했던 전투기가 커다랗게 몸을 틀었다.

힐끔.

강찬은 제라르를 보았다.

'하나! 둘!'

안다. 알아서 그러는 거다.

미치고 팔짝 뛰겠지만 이럴 땐 어쩔 수 없다는 것을.

와락!

강찬과 제라르가 동시에 산 아래로 몸을 던졌다.

콰자작! 콰자자작!

미끄러져 내려간다고?

아니! 이건 그냥 산에서 떨어진 거랑 같다.

나무에 부딪치면 뼈가 부러지고, 돌에 머리를 찧거나 목이 부러지면 바로 사망이다.

부웅.

언덕을 만나면 몸이 높다랗게 뜨고,

철퍼덕! 콰자작! 콰자자작!
바닥에 처박힌 몸이 뱅글뱅글 돈다.
찌익!
뾰족한 돌에 허벅지가 찢기고!
콰악! 콰가각!
커다란 돌에 가슴을 찍히면 숨이 턱 막힌다.
세상이! 땅이! 빙글빙글 도는 느낌!
그러나 이보다 빨리 산을 내려가는 방법은 없다.
콰으으으웅! 콰으으웅!
조금 전에 서 있던 곳이 불바다로 변하며 또다시 땅이 커다랗게 흔들렸다.
조금만 늦었으면…….
철퍼덕! 철퍽!
강찬과 제라르가 산의 아래로 처참하게 처박혔다.
'끄으으.'
신음은커녕, 숨도 제대로 쉬어지지 않았다.
부시시시시!
흙덩이들이 강찬과 제라르를 덮칠 때였다.
콰악!
강철규와 남일규가 강찬을 잡아당겼다.

그아아아아아앙!

박승용의 팰콘이 중력을 무시하는 것처럼 치솟았다.

지상에 폭격이 시작되었다. 6번기가 죽음을 각오하고 팬텀을 잡았던 이유다.

쒜에에에에에엑!

[8번기! 꼬리에 붙었어!]

또다시 이기도의 고함이 들렸다.

[저놈을 못 잡으면 아군이 견디질 못합니다!]

그아아아아아앙!

박승용이 기체를 억지로 트는 순간이었다.

띠띠띠띠띠띠띠!

적의 미그기가 뒤에 붙었다. 레이더를 볼 필요도 없었다.

콰악!

박승용은 원을 그리듯 사이드 스틱을 감았다.

그으아아아아앙!

삽시간에 하늘과 땅이 뒤집혔다가 바로 섰고,

삐삐삐삐삐삐.

삐이이이이이.

꼬리에 붙었던 미그기가 앞에 있었다.

달칵.

푸쉬이이이이이이!

박승용의 팰콘이 폭발을 피해 처박히듯 떨어지는 순간이었다.

띠띠띠띠띠띠띠.

'어떻게?'

박승용은 등골이 서늘해졌다.

콰으으으으웅! 콰아아아아앙!

8번기가 잡은 팬텀과 박승용이 잡은 미그기가 동시에 공중에서 화염으로 사라졌다.

그아아아아아앙!

박승용은 다시 던진 것처럼 팰콘을 옆으로 굴렸다.

우아아아아아앙!

그러고는 거짓말처럼 수직으로 치솟았다.

순간!

[8번기! 돌아! 돌아!]

이기도의 무전이 들렸고,

[늦었습니다! 제발 아군을 지켜……!]

퍼어어어어어엉!

8번기가 허공에서 커다랗게 터져 나갔다.

그아아아아아앙!

돌아가야 할 시간이었다. 연료가 돌아가기에도 아슬아슬했다.

쉐에에에에에엑!

[잡았다! 내가 잡았다!]

4번기의 무전이다.

꽈으으으으웅!

그리고 적의 톰캣이 터져 나갔다.

[5번기다! 적을 잡았다! 뒤를 막아 줘!]

그아아아아아아앙!

박승용은 바로 이기도의 팰콘 뒤로 떨어져 내렸다.

[뒤는 내가 맡는다! 5번기!]

"제발! 잡혀라! 제발!"

미친 듯이 허공을 휘젓는 팬텀을 이기도의 팰콘이 악착같이 따라붙고 있었다.

이기도나, 함께 싸우고 있는 다른 파일럿 누구 한 사람 연료를 걱정하지 않는다.

죽음을 각오하고 싸우는 것!

박승용은 편대원들이 이렇게 자랑스러울 수 없었다.

띠띠띠띠띠띠띠!

박승용의 팰콘이 위험하다고 악을 써 댔다.

[서둘러라! 5번기!]

[잡았다!]

피쉬이이이이이이이이!

쉐에에에에엑! 그아아아아아앙!

이기도가 왼편으로, 박승용은 오른편으로 튕겨 나갔다.

콰으으으으으웅!

팬텀이 커다랗게 폭발했고, 뒤를 쫓던 미그기가 팰콘의

화염을 피하지 못했다.

쒜에에에에에엑!

이런 기회를 놓칠 박승용이 아니다. 그의 팰콘이 왼쪽으로 뱅글뱅글 돌아서 당황한 미그기의 뒤에 붙었다.

달칵.

푸시이이이이이이이!

그아아아아아아앙!

팰콘이 높다랗게 치솟았을 때, 미그기가 커다랗게 폭발했다.

뾰족한 돌을 든 100명이 순서대로 한 번씩 찍으면 딱 지금 강찬과 제라르의 몰골이 나올 거다.

긁히고 찢기고, 움푹 팬 상처가 온몸에 셀 수도 없이 박혔다.

붕대로 온몸을 묶을 건 아니다.

"다예."

"알았소."

석강호가 다가와 대검으로 붕대를 잘라 돌돌 말았다. 그러고는 움푹 팬 상처에 손가락으로 구겨 넣었다.

'끄윽.'

한두 곳이 아니다.

비무장팀 대원들이 신기한 눈으로 바라보는 앞에서 석

강호는 무려 여섯 곳이 넘는 강찬의 몸에 붕대를 말아 집어넣었다.

"묶읍시다."

"제라르를 먼저 치료해."

석강호가 다시 제라르에게 다가가 붕대를 말아 밀어 넣었다.

동굴은 꽤 깊었다.

쒜에에에에엑! 그아아아아앙!

곽철호가 다가와 피가 겨우 통할 정도로 강찬의 상처를 묶어 줄 때였다.

"윤상기! 아군 전투기와 교신할 수 있어?"

강찬이 뒤를 돌아보며 악을 썼다. 전투기 소리가 동굴 안을 할퀴고 지나가서 어지간한 소리는 들리지도 않았다.

"가능합니다!"

"그럼 교신 잡아 줘!"

윤상기가 벽돌 크기의 무전기를 꺼내 귀에 댔다.

쒜에에에에엑! 쒜에엑!

삐이이이이이!

박승용이 적의 톰캣을 잡았다.

달칵.

푸시이이이이이!

사이드 와인더가 날아가는 순간,

그아아아아앙!

박승용의 팰콘이 공중 고개를 벌이는 것처럼 뱅글뱅글 옆으로 날았다.

하늘이 땅이 서너 번을 뒤엉킨 직후였다.

박승용이 사이드 스틱을 대각선 앞으로 디밀자 청룡열차가 뚝 떨어지는 것처럼 기체가 아래로 고꾸라졌다.

"내가 잡았다! 엄호해! 엄호해!"

그때 이기도가 또다시 고함을 질렀다.

그아아아아앙!

박승용의 팰콘이 뱅그르르 돌며 이기도의 뒤로 치솟았다.

"내가 지킨다! 5번기!"

쒜에에에엑! 쒜엑! 쒜에에에엑!

띠띠띠띠띠띠띠.

박승용의 팰콘이 경고음을 커다랗게 울렸다.

당장은 5번기의 뒤를 비킬 수가 없다. 이기도를 죽게 할 수는 없는 거다.

쒜에에에에엑!

뚝 하고 가라앉은 팬텀을 쫓아 5번기가 가라앉았고, 박승용의 팰콘이 연달아 가라앉았다.

불쑥불쑥 올라온 산들이 빠르게 스쳤고,

그아아아아앙!

당신을 믿습니다 • 155

굴곡을 따라 급하게 기체를 틀었으며,

우아아아아아앙!

미친 것처럼 위로 치솟았다.

푸쉬이이이이이!

이기도가 사이드 와인더를 발사하는 순간,

그아아아아앙! 쒜에에에에엑!

5번기와 박승용의 팰콘이 교차하는 것처럼 허공에서 엇갈렸다.

쒜에에에에엑!

적의 톰캣이 급하게 허공으로 치솟았다. 5번기와의 충돌을 피하기 위해서였다.

그아아아아앙!

5번기가 느닷없이 뱅그르르 돌아서 톰캣의 뒤에 붙었다.

치잇.

[파견소! 우리는 안전하다! 이만 빠져나가라!]

그때 강찬의 음성이 무전을 통해 들렸다.

우아아아아아앙!

박승용은 5번기의 뒤를 다시 지켰다.

띠띠띠띠띠띠띠.

적은 바보가 아니다. 숫자도 많다.

그리고 살아남은 미그기와 톰캣이 모두 박승용을 먼저 잡기 위해 줄줄이 매달리고 있었다.

"우리는 이미 돌아갈 연료가 없다! 최선을 다해 적기를 막을 테니 대한민국을 부탁한다!"

무전은 모두 들었다.

그아아아아아앙!

그리고 그에 대한 답을 하는 것처럼 몸부림치는 적의 톰캣을 이기도가 끈질기게 따라붙었다.

"시간이 없다! 서둘러! 5번기!"

띠띠띠띠띠띠띠.

박승용은 몸을 빼지 못한다. 이기도가 무방비 상태로 당하기 때문이었다.

쒜에에에에에엑!

눈 깜짝할 사이에 두 번이나 몸을 비튼 5번기의 뒤를 박승용이 막아설 때였다.

[비행 물체 접근 중! 속도 900노트! 숫자가 엄청나다! 반복한다! 비행 물체 접근 중!]

2번기의 무전이 다급하게 들려왔다.

그아아아아아앙!

띠띠띠띠띠띠.

박승용의 팰콘이 지금 뒤에 붙은 미그기부터 피하라고 악을 써 대고 있었다.

제5장

멀리 간다

"잡았다!"

푸시이이이이이이!

이기도가 사이드 와인더를 발사하는 순간이었다.

그아아아아아앙!

이기도와 박승용의 팰콘이 커다랗게 위와 아래로 갈라졌다.

"뒤에 붙었다! 내 뒤에 적기다!"

그때 3번기의 다급한 무전이 들렸다.

쉐에에에에에엑!

박승용은 사이드 스틱을 왼편 앞으로 밀었다.

이렇게 내리꽂힐 땐 정말이지 눈이 뒤로 넘어갈 정도로

정신이 아득해진다.

박승용은 이를 악물며 사이드 스틱을 다시 당겼다.

"3번기! 내가 뒤를 맡았다!"

그아아아앙! 쒜에에에엑!

지상군이 몸을 감춘 덕분에 적의 팬텀에 신경을 덜 쓰는 것만도 감사한 일이다.

"3번기! 회피 기동!"

3번기가 왼편으로 빠르게 기체를 틀었다.

"지금이다!"

그아아아아앙!

박승용이 악을 쓰는 순간이었다. 3번기가 느닷없이 오른편 상공으로 치솟았다.

이럴 때 박승용은 함께 오른쪽으로 돌지 못한다. 같은 방향으로 움직이면 3번기가 회피 기동을 한 의미가 없어지는 거다.

띠띠띠띠띠띠.

왼편으로 날아간 박승용의 팰콘에 거짓말처럼 거의 모든 적기가 매달렸다.

자존심이 상한 탓일 거다. 그래서 박승용만큼은 격추시키겠다는 것처럼 달려드는 걸 거다.

그아아아아앙!

[1번기! 올라오세요!]

박승용은 팰콘을 아래로 처박고 있었다.

이기도가 악을 썼지만, 그는 사이드 스틱을 당기지 않았다.

[지금이다! 한 기라도 더 잡아!]

쒜에에에에에엑!

날아드는 것처럼 지면이 눈앞에 닥쳤을 때 박승용은 사이드 스틱을 당겼다.

우아아아아앙! 쒜에에에에엑!

산과 산의 사이를 타고 팰콘이 기체를 비틀었다.

띠띠띠띠띠띠띠!

[1번기! 올라와!]

이기도가 대놓고 악을 썼다.

적이 멍청이나 바보만 있는 게 아니라면 높은 곳에서 박승용의 길목을 노리고 내려온다.

숫자나 적은가? 20기 가까운 적기 중에 6기는 박승용의 뒤를 따르고, 나머지는 허공에서 그를 내려다보고 있었다.

쒜에에에에에엑!

제멋대로 서 있는 산을 헤집으며 박승용이 날았고, 그 뒤를 적기들이 악착같이 따라붙었다. 그리고 그보다 높은 하늘에서는 다시 적기와 아군기들이 뒤엉켰다.

띠띠띠띠띠띠.

더는 견딜 재간이 없었다. 박승용은 스로틀 레버를 밀며,

사이드 스틱을 힘껏 당겼다.

그아아아아아앙!

팰콘이 미사일처럼 하늘을 향해 치솟았다.

순간 박승용은 온몸의 피가 뒤통수와 등에 몰린 것처럼 아득했고, 구름이 추상화처럼 여러 갈래로 보였다.

[1번기! 방향을 바꿔!]

이기도의 고함이 아득하게 들린 직후였다.

박승용은 하늘을 보며 웃었다. 하얗게 빛나는 태양이, 주변에 몰려 있는 구름이 태극기처럼 보였다.

[야! 박승용! 제발 틀라고!]

이기도가 미친놈처럼 막말을 해 댔다.

'아무렴 내가 태극기 앞에서 그냥 죽을 것 같으냐?'

띠이이이이이이.

그런 박승용의 귀에 팰콘이 적기의 레이더 락에 걸렸다는 신호음이 들렸다.

걸렸다. 이렇게 피했는데도 적의 레이더 락에 걸린 거다.

홱!

박승용이 스로틀 레버를 당기면서, 사이드 스틱을 커다랗게 돌렸다.

그아아아아앙.

추진력을 잃은 것처럼 그의 팰콘이 가늠하지 못하는 상태로 떨어졌다.

쉐에엑! 쉐엑! 쉐에에엑!

그를 따르던 적기들이 급하게 사방으로 튀어 나갔다. 지면과 하늘이 얼마나 뒤엉키는지 구분하기도 어려웠다.

삐익. 삐익. 삐익. 삐익.

팰콘이 중심을 잃었다는 경고를 빠르게 토해 낸 직후였다.

홱!

박승용은 사이드 스틱 당기며, 스로틀 레버를 밀었다.

그아아앙! 쉐에에에엑!

기체가 자세를 바로잡았고,

[저 양반을 걱정한 내가 멍청한 놈이지!]

이기도의 음성이 무전으로 들어왔다.

삐익. 삐익. 삐익. 삐익.

기체를 바로잡았음에도 팰콘은 경고음을 멈추지 않고 있었다.

연료가 바닥났다는 경고였다.

최선을 다했지만, 죽음을 각오하고 싸웠지만, 여기까지인 거다.

남은 연료로 최선을 다해 적기를 하나라도 더…….

쉐에에에에엑!

박승용의 팰콘이 빠르게 회전하는 순간이었다.

그아아아아앙! 쉐에에에엑!

적기들이 일제히 왔던 방향을 향해 날아가고 있었다.

박승용은 레이더를 보았다.

60기? 70기?

엄청난 숫자의 비행 물체가 보였고, 시선을 들었을 때 저 멀리에서 하늘을 빼곡하게 메운 전투기가 실제로 보였다.

비고라스 드래곤(Vigorous dragon)?

중국의 전투기였다.

박승용은 무전기의 공용 채널을 열었다.

[파견기는 듣는다.]

발음과 표현이 모두 어색하긴 했지만, 분명한 한국말이었다.

[공격을 세우고, 기지로 멀리 간다.]

박승용은 상대의 말을 모두 알아들었다.

[로저, 드래곤. 우리는 연료가 바닥나서 기지로 돌아가기 어렵다.]

쒜에에에에에엑!

70기에 가까운 중국 전투기가 팰콘을 엄호하는 것처럼 둘러싸고 있었다.

[선물을 발견한다, 파견기.]

박승용이 캐노피 너머를 보았다. 공중 급유기 2대가 기다란 송유관을 늘어트리며 날고 있었다.

[마음에 들어갔으면 좋겠다.]

[고맙다, 드래곤. 마누라를 다시 만난 것보다 더 기쁘다!]
박승용은 지체하지 않고 사이트 스틱을 움직였다.

동굴을 파고들던 찢어지는 듯한 전투기의 소리가 가라앉았다.
아직 나서기는 이르다. 솔직히 나가서 살핀다고 해도, 높다랗게 떠 있는 전투기의 상황을 육안으로 확인하기도 어렵다.
동굴 안에서 결과를 기다리고 있을 때였다.
치잇.
[파견소다. 중국의 협조로 연료를 채웠고, 우리는 기지로 돌아간다. 더 큰 도움을 주지 못해 미안하다. 무사 귀환을 기대하겠다.]
강찬의 옆에 놓은 무전기에서 박승용의 음성이 흘러나왔다.
강찬은 무전기를 바로 들었다.
치잇.
"고생했다, 파견소. 나중에 보자."
치잇.
[로저, 대장.]
뭐야? 지금 뭐라고 한 거야?
모두의 시선이 달려들었는데 정작 강찬도 박승용이 왜 이렇게 불렀는지 알 길은 없었다.

"위성 전화."

강찬은 윤상기로부터 전화를 넘겨받았다.

꾹. 꾸욱.

버튼을 두 번 누르자 신호음이 울렸다.

[상황실입니다.]

"전투기는 모두 물러갔습니다. 이후 상황은요?"

[중국과 러시아, 독일의 정보국에서 정보들이 계속 넘어오고 있습니다. 우리나라와 이란 모두 더는 전투기를 출격시키지 못하는 것으로 결론 난 것 같습니다.]

이게 잘된 일인지, 나쁜 일인지 당장은 가늠이 가질 않았다.

"그 외에 특이 사항은요?"

[무기 밀매상 이반이 최근 탄도미사일을 거래했다는 이집트의 정보원 진술 말고는 특별한 내용은 없습니다.]

강찬은 고개를 갸웃했다.

탄도미사일은 절대로 대충 넘길 내용은 아니었다.

"상황실에서 러시아와 중국에 이 번호를 주시고, 지금 내용 알려 주시고, 제게 전화해 달라고 전해 주세요."

[알겠습니다.]

강찬은 전화를 끊은 뒤에 주변의 대원들을 향해 고개를 들었다.

"전투기는 우리나 이란 모두 더 움직이지 않기로 한 것 같다. 다예, 밖에 경계 세우고, 일단 식사를 해."

강찬의 지시를 받은 대원들이 빠르게 움직였다.

⚜ ⚜ ⚜

한국에 파견한 위성 요원에게서 온 전화였다.

통화를 마친 바실리가 고개를 갸웃하며 모니터를 노려보았다.

위성에서 내려다본 지구의 모습에 각양각색의 선들이 기다랗게 그려져 있었다.

"경로상으로는 드미트리가 가장 수상한 놈이라는 건데, 이반이 미사일을 거래했다?"

인상을 찌푸린 바실리가 입술에 힘을 꾹 준 채로 모니터에 나와 있는 지도를 확대했다.

"무슈 강이 OTP를 회수하는 바람에 드미트리가 미사일을 발사하지 못했다면 분명 다른 방법을 찾아야겠지. 그래서 누군가 미사일을 구매했다는 말이 되는 건가?"

고개를 바로 세운 바실리가 차갑게 웃었다.

"조연을 오래했더니 이제는 드미트리 같은 놈까지 나를 우습게 보는군."

모니터의 한 곳을 바실리가 차갑게 노려보았다.

"북태평양에서 네놈들이 원하는 게 뭔지 지켜봐 주마."

그의 시선이 북태평양에 세모꼴로 표시된 붉은 점에 오래도록 멈춰 있었다.

⚜   ⚜   ⚜

굶고 전투를 할 수는 없다.

그 점은 강찬 역시 마찬가지여서 동굴에 주저앉은 자세로 씨-레이션을 먹었다.

비빔밥을 수저로 뜰 때마다, 비스킷을 집을 때마다 몸뚱이가 욱신거리고, 쓰라리고……. 하여간 지랄같이 아팠다.

"이곳에 계속 있는 건 아무래도 위험해. 비무장팀이 움직여서 산 위쪽에 자리를 하나 찾아줘."

"알았다."

강찬의 새로운 지시다. 강철규가 답을 했고, 곧바로 남일규가 대원 셋을 이끌고 밖으로 움직였다.

"다예! 대원들과 움직여서 막사에서 못 챙긴 물건들 옮겨 와."

"알았소."

석강호가 대원들을 추려서 막사가 있는 곳으로 움직이고도 갑갑한 시간이 20분쯤 더 흐른 뒤였다.

치잇.

[위치를 확보했습니다.]

남일규의 무전이 들어왔고, 잠시 후 남일규와 함께 나갔었던 대원 한 명이 동굴로 돌아왔다.

치잇.

"다예, 얼마나 걸려?"

치잇.

[동굴에 거의 다 도착했소.]

이왕 올라가는 거, 짐이 있다면 함께 드는 게 좋다.

실제로 석강호는 얼마 걸리지 않아 도착했다. 그래서 다 같이 짐을 나눠 들고 남일규가 있는 곳으로 움직였다.

"후우."

강찬은 소총을 어깨에 건 채로 주변을 둘러보았다.

그럭저럭 나무가 울창한 데다 사방이 내려다보이는 자리다. 전투기가 다시 들이닥치지만 않는다면 당장 이만한 자리로 드물었다.

"차동균! 저 위쪽에 대원 셋, 양옆으로 저격수 포함해서 3명씩 배치해."

강찬은 가장 먼저 주변에 경계할 대원들을 깔았다. 그런 다음 지도를 들여다보았다.

띠루루루루. 띠루루루루. 띠루루루루.

위성 전화다.

통화 버튼을 누르자 익숙한 음성이 들렸다.

[바실리다.]

"말해."

이놈 전화는 이렇게 딱딱하게 받아 줘야 맛이 난다.

[OTP를 받으려고 했던 것은 아무래도 우리 핵잠수함 알리인 것 같다. 함장은 드미트리, 현재 북태평양에 있다.]

강찬은 듣고만 있었다.

[스페츠나츠와 지젠느가 3시간 안으로 출발할 텐데, 도착까지는 시간이 걸릴 거다.]

"로망은?"

[독일에서 이미 움직였고, 조쉬는 내가 해결하겠다.]

"쿠드스의 이동 경로는 찾았나?"

[이란에서 아프가니스탄으로 흩어진 것으로 봐서 아무래도 그쪽으로 갔다고 보는 게 맞겠지.]

"이 전화가 보안이 되나?"

바실리가 워낙 쉽게 말을 뱉고 있어서 확인하고 싶어 던진 질문이었다.

[지금 사용하는 번호는 우리 위성만 통과하도록 지정했다. 러시아의 뛰어난 기술 덕분에 도청해 봐야 잡소리만 들린다.]

이 새끼가 무슨! 공산당 선전원도 아니고.

아무튼, 통신 하나는 확실히 확보한 셈이었다.

"바실리, 우리는 바로 움직이겠다. 연락은 하루에 두 번,

이곳 시간으로 08시와 20시에 내가 할 테니까 그때 통화하는 것으로 하자."

[그렇게 하지.]

바실리와 통화를 마친 강찬은 다시 지도를 들여다보았다.

"모여 봐."

강찬은 석강호, 제라르, 강철규, 차동균, 정원민, 강명구를 불렀다.

"이곳이 알파, 이곳이 베타다. 내가 무전으로 복잡하게 장소를 지정해도 알파가 들리면 이곳, 베타가 들리면 이리 모인다."

우선 가장 기본이 되는 지역을 검지로 찍어 준 강찬은 다시 지도를 따라 선을 그었다.

"비무장팀은 이 라인을 따라서 움직여. 적이 저격수를 배치한 것도 아마 이 라인일 것 같아. 그러니 이동하는 길에 저격수를 모두 해결해 줬으면 싶어."

강철규가 날카로운 눈빛으로 고개를 끄덕였다.

"606."

"예."

"판즈셔 강과 사리차 로드 중간을 따라 목표 지점까지 이동한다."

"예."

"대테러팀은 나와 함께 반대쪽 산을 타고 목표 지점을 향할 거다."

"알겠습니다."

정원민이 단단하게 답을 한 다음이었다.

"쿠드스 200명이 이쪽으로 향했다. 증평팀이 남아서 그놈들을 막아라."

"예."

30명이 쿠드스 200명을?

차동균이 답을 할 때 정원민과 강명구가 걱정스러운 표정으로 차동균을 보았다.

80명 조금 넘는 인원이 1,200명을 상대하는 것과 그리 다를 것 없는데 말이다.

"차동균, 스페츠나츠와 지젠느, 그리고 화이트 울프가 온다고는 하는데 믿기는 어려워."

"염려 마십시오."

안다. 30명이 하기에는 끔찍할 정도의 요구라는 것을 강찬도 알고 있었다.

강찬은 먼저 루카가 있는 하늘을 바라보았다.

"우리가 찾은 정보들이 단편적이다. 미사일을 발사하는데 필요한 OTP, 황 원장님이 남긴 국제빌딩 좌표, 아비부, 그리고 이번에 엄지환이 확보한 정보원."

각 팀의 지휘자들이 강찬의 말에 집중하고 있었다.

통역 대원이 빠르게 프랑스 말을 전하는 것이 이상하게

긴장감을 고조시켰다.

"러시아 잠수함이 OTP를 받으려 했다는 사실이 새로 나왔고, 그 잠수함이 북태평양에 있다. 거기에 이반이라는 무기 밀매상이 탄도미사일을 거래했다는 정보원의 진술도 있고."

뭔가 있구나!

다들 표정은 같았는데, 아직 누구도 그 뭔가에 대해 정확하게 답을 내리지는 못하는 상황이었다.

"러시아 잠수함에 핵탄두가 실려 있다가 다른 곳으로 옮겨졌고, 그래서 탄도미사일이 필요한 거라면……."

강찬은 둘러선 지휘자들을 빠르게 훑어보았다.

"목표가 우리나라일 확률이 높다."

말을 전해 들은 제라르가 고개를 끄덕인 다음이었다.

"시간이 없다. 그래서 증평의 특수팀이 뒤를 맡는 동안, 남은 세 팀이 적의 근거지를 친다."

"출발 시각은?"

"30분 뒤. 그때까지 휴식."

강철규의 질문에 강찬이 답을 했다.

해가 정수리를 빗겨 난 시간이었다. 지휘관들이 흩어진 다음에 강찬은 다리를 쭉 펴고 흙벽에 기대앉았다.

그의 옆으로 제라르가 비슷한 자세로 앉았다.

피식.

그냥 나온 웃음이었다.

전투를 시작도 하기 전에 얼굴이며 몸뚱이가 엉망인 놈을 보고 있자니 이상하게 웃음이 나왔다.

"우리 살아 있는 겁니까?"

"미친놈! 그러니까 이러고 있지."

강찬은 다시 고개를 돌려서 앞쪽을 보았다.

따스한 햇볕, 일렁이는 바람, 눅눅한 흙냄새, 그 위를 떠다니는 나무와 풀 냄새.

"담배 하나 피우면 딱 좋겠습니다."

"나는 봉지 커피."

석강호의 눈짓을 받은 통역 대원이 빠르게 강찬과 제라르의 대화를 전달해 주었다.

아차차.

강찬은 고개를 돌려서 통역 대원을 보았다.

저놈을 데리고 험한 산을 탄다고? 절로 고개가 저어지는 일이었다.

강찬의 시선을 받은 통역 대원이 빠르게 제라르의 눈치를 살폈다.

"우리는 산을 탈 거다. 제대로 훈련받지 못하고는 절대 따라올 수 없어. 그러니 넌 이곳에 남아."

"예에?"

통역 대원은 아프리카에서의 전투를 떠올린 게 분명했다.

그의 겁먹은 얼굴이 꼭 그랬다.

"그렇다고 비무장팀이나 606을 따라 이동하기도 그렇잖아."

"그렇습니다."

통역 대원이 마지못해 답을 했다.

"차동균에게 말해 둘 테니까 교전이 벌어지면 적당한 곳에 몸을 숨기고 있어."

통역 대원이 마른침을 삼키며 다시 '예.'라고 답을 했다.

쩔걱. 쩔거덕. 쩔걱.

그때 각 팀의 지휘관들과 대원들이 강찬의 앞으로 모였다. 출발할 시간인 거다.

강찬이 자리에서 일어섰고, 석강호와 제라르가 그 뒤를 따라 몸을 일으켰다.

"먼저 도착한 팀은 대기하고, 내일 08시까지 도착하지 못하는 팀은 다시 이곳으로 돌아온다."

다들 눈빛으로 답을 했다.

강찬은 천천히 주변에 선 대원들을 둘러보았다.

"어느 한 팀, 맡은 역할이 수월하지 않다. 그래서 이번 작전의 목표는 간단하다. UIS의 간부들을 모조리 죽이고, 다 함께 돌아가는 것."

강찬이 피식 웃으며 다시 대원들을 둘러보았다.

"출발!"

그러고는 한마디 명령을 내렸다.

그런데…….

뜻밖에도 강철규가 강찬을 향해 손을 뻗었다.

툭툭.

강찬이 멍하니 그를 바라볼 때였다.

"조심해라."

말을 마친 강철규가 피식 웃으며 이번엔 차동균의 헬멧을 두드렸다.

"선배님! 꼭 다시 뵙겠습니다."

차동균의 감동을 뒤로한 채 강철규가 정원민과 강명구의 헬멧을 두드려 주고 있었다.

⚜ ⚜ ⚜

김형정이 고건우의 집무실로 들어섰다.

잇달아 들어오는 정보들, 변화하는 상황, 그리고 강찬과의 통화 내용에 대해 보고하기 위해서였다.

"어서 와요."

고건우가 책상에서 고개를 들었다. 그 역시 피곤이 덕지덕지 묻은 얼굴이었다.

"우리 전투기 5기가 허텐 군 공항에 도착했다는 보고가 들어왔습니다."

고건우는 표정의 변화가 없었다.

"김 팀장."

"예, 원장님"

"교전 수칙을 어긴 것이라는 말이 군 일부에서 나오고 있습니다. 보고는커녕 승인조차 받지 않고 교전을 벌였다는 내용입니다. 어떤 이유에서든 전투기와 파일럿을 잃은 것에 대해 박 소령을 조사하고, 책임을 물어야 한다는 목소리가 힘을 얻고 있습니다."

"제가 마지막 위성 통화 당시에 현장에서 판단해 결정하라는 말을 분명하게 전했습니다."

"그 점을 문제 삼으려는 모양입니다."

당시 통화 내용은 보고를 통해 고건우도 이미 알고 있었다.

"국가정보원이 군의 명령 계통을 위반했다는 주장입니다."

고건우가 곤혹스러운 얼굴로 김형정을 보았다.

"우리 소속으로 파견 보낸 606 대원들과 증평 특수팀이야 군이 간섭하기 어렵지만, 박승용 소령, 그리고 함께 움직였던 파일럿들은 아무래도 곤란한 처지에 놓일지도 모릅니다."

고건우가 나직하게 숨을 내쉰 다음 말을 이었다.

"김 팀장, 이럴 경우에 국가정보원장인 나는 어떻게 해야 합니까? 박 소령과 파일럿들의 조사와 처분을 군에 맡기는 것이 맞습니까? 아니면 편법을 사용해서라도 막아야 합니까?"

질문을 받은 김형정은 쉽게 답을 하지 못했다.

"김 팀장이 낼 답이 아니겠지. 군의 의견도 잘못된 것은 아니니까. 대통령님이 직접 명령을 내리신 것으로 처리하신다니까 그에 맞춰 움직이겠지만, 이럴 때 참 많이 답답합니다."

김형정을 바라본 고건우가 다시 입을 열었다.

"보고할 새로운 내용이 있습니까?"

"러시아에서 핵 잠수함 알리호의 이동 경로와 무기 밀매상 이반에 관한 몇 가지 정보를 알려 왔습니다. 원장님과 저만 공유했으면 한다는 의견이 딸려 있었습니다."

김형정이 USB를 책상에 올려놓았다.

"흠, 알았습니다. 그리고 김 팀장."

"예."

고건우가 책상 위에 놓인 모니터를 돌렸다.

"이 항목을 알고 있습니까?"

김형정이 고개를 내밀어 고건우가 손가락으로 가리키는 폴더를 보았다.

"제가 지난번에 말씀드린 것이 바로 그 폴더입니다. 요원들이 원장님께 직보하는 극비나 기밀 내용이 저장됩니다.

새로 비밀번호를 만드셨습니까?"

고건우가 의아한 눈으로 김형정을 보았다.

"그런데 이건 무슨 뜻입니까?"

그러면서 마우스를 움직였다.

[비밀번호 오류 3회. 입력된 데이터를 모두 삭제했습니다. 새로운 비밀번호를 입력하세요.]

김형정이 의아한 눈으로 고건우를 보았다.

"이 폴더는 원장님 자리에 있는 컴퓨터 본체에서만 확인할 수 있고, 네트워크를 통해 외부에서 접속할 경우, 경보음이 울리고 접근자의 신상이 바로 공개됩니다."

상체를 든 김형정이 빠르게 말을 이었다.

"그리고 이 컴퓨터로 접속하더라도 패스워드를 세 번 잘못 입력하면 내부 자료가 자동으로 파기됩니다."

"그렇다면 이게 그 비밀번호를 세 번 잘못 넣어서 삭제되었다는 뜻입니까?"

"저도 그 문구는 처음 봅니다만, 맞는 것 같습니다."

김형정이 모니터를 바라보며 답을 했다.

"난 비밀번호를 입력한 적이 없습니다. 혹시 김 팀장이 이걸 확인했습니까?"

"그렇진 않습니다. 이건 제가 확인할 권한이 없습니다."

고건우와 김형정이 시선을 마주쳤다.

"그렇다면 누군가 이 자료를 파악하려 했다고 볼 수도 있겠군요?"

"어쩌면 삭제하려고 일부러 이랬을 가능성도 있을 것 같습니다."

두 사람이 동시에 눈빛을 반짝였다.

"누군가 이 방에 들어와서 일부러 내용을 지우기 위해서든, 아니면 정말 내용을 확인하고 싶어서든, 비번을 입력했다는 뜻이라는 거지요?"

"바로 확인해 보겠습니다."

"결과가 나오는 대로 알려 주세요."

"알겠습니다."

김형정이 바쁘게 방을 나섰다.

⚜ ⚜ ⚜

바실리는 대통령 궁의 야외 테라스에 앉았다.

맞은편에서 알렉세이 러시아 대통령이 불편한 시선을 주고 있는데도, 바실리는 뻔뻔스러울 만큼 냉정한 얼굴로 대응했다.

"정보국장이라고 모든 걸 마음대로 해서는 곤란해, 바실리."

"그런 일은 없습니다."

"그렇다면 세브첸코와 그의 가족, 형제, 심지어 늙은 부모까지 모조리 체포하고, 그의 부인을 현장에서 사살한 일이 어째서 내가 모르는 사이에 벌어진 거지?"

"이렇게 보고드리러 오지 않았습니까?"

불편한 알렉세이의 눈빛이 냉정한 바실리의 얼굴에 계속 부딪쳤다.

잠시 침묵이 흐른 다음이었다.

"이반이 탄도미사일을 거래했고, 드미트리는 핵탄두를 가지고 북태평양을 떠돌고 있습니다. 그 핵탄두가 UIS의 손에 들어갔다면, 그리고 그것이 한반도에서 터진다면 우리는 빠져나오기 어려운 곤경에 빠지게 됩니다."

"한국이 핵폭탄에 얻어맞는다면 앞으로 몇십 년은 다른 곳을 쳐다볼 여유도 없을 거다."

"그럴 겁니다. 대신 우리는 중동의 산유국과 미국에 눌려서 엄청난 원유와 가스를 가지고도 빚에 허덕이게 될 것입니다."

"말이 심해, 바실리."

"현실을 보십시오."

바실리는 도전적인 눈빛으로 알렉세이 대통령을 노려보았다.

"원하신다면 정보국장에서 물러나겠습니다."

"바실리!"

"그걸 원하시는 게 아니라면 내가 계획한 일을 세브첸코 같은 놈의 말에 흔들려서 망가트리는 일은 없으셨으면 합니다."

알렉세이가 기가 막힌 것처럼 코웃음을 뱉어 냈다.

"스페츠나츠를 거쳐서 이 자리에 오기까지 작전에서, 그리고 정보전에서 죽을 고비를 몇 번이나 넘긴 줄 아십니까?"

말을 마친 바실리가 상체를 기울여 알렉세이에게 고개를 가져갔다.

"알렉세이, 당신을 대통령으로 만드는 데 내가 넘긴 죽을 고비도 거기에 포함돼. 그러니 그 공을 무시하지 마. 그리고 다시 말하지만 원한다면 내가 물러나지."

알렉세이가 거친 숨을 내쉬는 순간이었다.

"그렇더라도 내 후임으로 세브첸코 같은 얼간이가 앉는 꼴은 못 보겠다. 또 한 가지, 날 더 자극하지 마라. 대통령의 임기가 끝나고 시베리아로 가기 싫다면."

바실리가 상체를 바로 세운 다음, 재킷의 아래를 잡아당겼다.

"나가는 대로 사직서를 제출하겠습니다."

"내가 정보국 하나 손에 못 넣을 것 같은가? 그렇다면 사직서를 제출하는 순간 자네를 세브첸코보다 더 잔인하게 처리할 수 있어."

바실리가 입끝을 올리는 것으로 더할 수 없이 기분 나쁜 미소를 지어냈다.

"연방안전국이 카게베(KGB)를 누를 수 있다고 여기시면 곤란합니다, 대통령님."

바실리의 눈빛이 뱀보다 차갑게 빛났다.

"업무가 너무 힘드셔서 일찍 물러나고 싶으신 거라면 얼마든지 원하는 대로 하십시오."

바실리와 알렉세이 모두 조금도 시선을 피하지 않고 있었다.

거친 숨을 서너 번 내쉬던 알렉세이가 '휴우!' 하며 커다랗게 한숨을 내쉬었다.

"원하는 게 뭔가, 바실리?"

"정보국의 업무를 존중해 주시면 됩니다."

알렉세이는 참기 어렵다는 것처럼 고개를 틀었다가 다시 가져왔다.

"그렇더라도 최근 행동들은 지나쳐."

"차세대 에너지를 손에 넣지 못하면, 러시아는 절대로 지금의 위치를 지키지 못합니다."

"아프가니스탄이나 뛰어다니는 그 애송이를 정말 그렇게 믿나?"

"대통령님보다야 믿음이 가긴 합니다."

"바실리!"

"다른 말씀이 없으시다면 이만 일어나겠습니다. 사직서는 돌아가는 대로 제출하겠습니다."

바실리가 자리에서 일어나는 순간이었다.

"앞으로……."

알렉세이가 씹듯이 말을 뱉어 냈다.

"정보국의 업무를 존중하겠다."

테이블 앞에 선 바실리가 여유 있는 표정으로 알렉세이를 내려다보았다.

"세브첸코는 원래 시베리아로 보낼 예정이었지만, 총살형으로 처리하겠습니다."

원망 가득한 눈으로 바실리를 보던 알렉세이가 한숨과 함께 고개를 끄덕였다.

"현명한 판단에 감사드립니다."

바실리가 몸을 돌려 테라스를 벗어났다. 거침없는 걸음이었다.

계단을 내려선 바실리에게 요원 2명이 다가왔다.

"벌레들이 더 꼬이지 않게 잘 지켜봐."

요원 둘이 바실리에게 공손하게 고개를 숙였다.

⚜ ⚜ ⚜

강철규는 소리조차 내지 않으며 앞으로 움직였다.

대원들은 이미 흩어졌다.

산이다. 이 넓은 숲 어딘가에 저격수가 있을지 모른다.

그래서 대원들은 산 전체를 휩쓰는 형태로 전진하고 있었다.

총소리가 울리면 대원 한 명이 희생된 거고, 반대로 저격수를 잡으면 무전기 버튼 누르는 소리만 들린다.

어떤 대원은 산 아래를 타고 가고, 남일규와 양동식의 경우는 정상 근처를 계속해서 올라야 했는데, 가장 높은 곳은 역시 강철규가 맡았다.

산의 형태도, 나무도, 심지어 햇살과 바람도 비무장지대와 완전하게 다른 아프가니스탄이다.

게다가 짧은 대치가 아니라 이대로 14시간을 집중해야 겨우 목적지에 도착하는 긴 여정이다.

후욱. 후욱.

강철규는 참 오랜만에 날이 제대로 선 상태로 산을 타고 있었다.

적을 만나면 바람이 다르고, 피부에 닿는 공기가 다르다. 심장의 두근거림, 적의 총구가 나를 향할 때 느껴지는 섬뜩한 경고를 다른 사람들은 모른다.

강철규는 숲의 왼편에서 오른편을 빠르게 살핀 다음 몸을 움직였다. 그리고 다시 오른편에서 왼편을 살폈다.

그렇게 봐서 뭘 알 수 있냐고?

사물이 천천히 흐르는 것처럼 보일 때면 풀끝이 흔들리거나, 뾰족한 나뭇잎이 일렁이는 것까지 분명하게 보인다.

멀리 간다 • 187

죽고 죽이는 일이 뭐가 재미있을까?

그런데 지금 강철규는 묘한 흥분을 느끼고 있었다.

강찬이다.

강찬이 원하는 싸움이다.

리비아에서 강찬이 전화를 걸어 줬을 때?

어색하리만큼, 피와 눈물로 얼룩진 삶이 이렇게 행복해도 되나 싶을 정도로 좋았다.

죽인다. 죽일 거다.

저격수, 그리고 UIS 주요 인물 모두.

그것이 강찬이 원하고 강찬을 위한 일이기 때문이었다.

산으로 달려든 바람이 나무를 파고들었다가 강철규를 스치고 지나갔다.

강철규는 짧게 한곳을 노려보다가 시선을 옮겼다.

후욱. 후욱.

자칫하면 저렇게 바람에 기운 풀들이 천천히 자세를 세우는 틈에서, 귀신의 텅 빈 눈구멍 같은 총구가 있다.

스윽.

강철규의 모습이 바람에 흩날리는 풀잎처럼 흔들리는가 싶은 다음 곧바로 사라졌다.

바람은 계속 불었다.

산속이다. 계곡을 타고 올라온 바람과 등성이에 부딪친 바람은 방향도 제각각이었다.

강철규는 사슴을 잡기 위해 자세를 잔뜩 낮춘 표범처럼 조심스럽게, 그러면서도 빠르게 앞으로 나아갔다.

뭔가 냄새가 다르고, 느낌이 다르다.

적이 아군을 노리기 전에, 한 발이라도 발사하기 전에 해치워야 하는 거다.

국가와 동료에게 목숨을 바쳤던 대원들을 하나라도 더 지키고 싶었다. 그래서 그들과 함께 적을 물리치고 돌아가고 싶었다. 강찬의 목표대로 말이다.

강철규는 옷장에 걸려 있던 양복을 떠올렸다.

대원들에게도 그런 행복을 맛보게 해 주고 싶었다.

얼마나 좋았는지, 몇 번이나 들여다보았는지.

⚜   ⚜   ⚜

차동균은 산의 입구에 저격수 셋을 배치했다. 그리고 저격수에게 엄호병을 붙였는데, 그중에는 통역 대원도 있었다.

곽철호, 윤상기, 그리고 아프리카와 리비아를 뛰었던 대원들은 이제 완벽하게 베테랑의 모습을 갖추고 있었다.

날카로운 눈매와 어느 한구석 허술하지 않은 움직임까지.

쿠드스 200명? 가늠이 안 됐다.

강찬이 있다면 또 모른다. 그렇지만 차동균은 덤덤하게 대원들에게 위치를 지정해 주었다.

멀리 간다 • 189

대원들의 배치가 모두 끝난 다음이다.

차동균은 무전기의 버튼을 눌렀다.

치잇.

그는 산을 둘러보는 것처럼 30명의 대원들을 천천히 돌아보았다.

"이번에 우리는 운이 좋은 모양이다."

뭔 소리를 하는 건가 하는 표정으로 대원들이 바라보는 앞이다.

"편안하게 쉬다가 가장 수월한 놈들을 상대하는 걸 보면 그렇다."

숨을 들이켠 차동균이 계속해서 말을 이었다.

"대장이 전해 주려고 했던 것들을 우리는 충분히 받았다. 이 아프가니스탄에서, 중국에서, 북한에서, 그리고 아프리카와 리비아에서의 작전을 통해서 말이다."

아프가니스탄의 햇살 아래서 차동균의 의지가 대원들에게 제대로 전달되고 있었다.

"쿠드스 200명이다! 우리가 그동안 어떤 전투를 치르고 다녔는지를 증명하기에! 이보다 좋은 적은 없을 거라 믿는다!"

시선을 마주친 대원들이 고개를 끄덕여 댔다.

"우리가 있는 이 하늘 위에서! 아군의 전투기 8기가 30기의 적을 물리쳤다!. 이번엔 우리 차례다! 증평의 특수팀이!

우리를 가르친 대장이! 대한민국의 특수팀이 어떤지를 적에게! 세계에 제대로 가르쳐 주자!"

차동균이 말을 마친 순간이었다.

"나의 피로!"

산의 중간에서 윤상기가 쇳소리 가득한 음성으로 구호를 쏟아 냈다.

"국가를 지킬 수 있다면!"

가릴 것이 없다. 차동균의 시선 앞에서 대원들이 악착같은 음성으로 그들이 지닌 의지를 보여 주고 있었다.

"나는 행복하다!"

차동균은 문득 강찬이 무척 보고 싶었다.

그는 천천히 몸을 돌려 대원들과 같은 방향을 보며 자세를 잡았다.

멀리 추락한 전투기의 잔해가 흉물스럽게 처박혀 있는 것이 시야에 들어왔다.

처절한 전투가 얼마 남지 않았다.

'와라. 이번은 정말 다를 거다.'

차동균은 오른손을 움직여 소총을 매만졌다.

⚜   ⚜   ⚜

대낮에 지도 한 장 달랑 들고 하는 이동이다.

정원민의 지시에 대원 2명이 빠르게 달려 나갔다.

사사삭. 사삭.

전방을 살핀 대원이 하늘을 향해 검지와 중지를 돌린 다음, 곧바로 앞을 가리켰다.

철꺽. 철꺼덕.

이번엔 다른 대원 둘이 목표 지점까지 빠르게 달렸다.

이렇게 교대로 확보한 거점을 이용해 남은 대원들이 4명씩 짝을 지어 움직인다.

오른쪽 아래로는 강이 있고, 왼쪽 위로는 도로다.

트럭 2대가 겨우 스칠 정도의 흙길을 따라가는 길이라, 특별한 어려움은 없었다.

민가가 없어서 인적도 없다. 도로가 강보다 7미터쯤 위에 있어서 몸을 숨기기도 적당했다.

마음 같으면 죽기 살기로 달려갔으면 싶을 정도였다.

그러나 정원민은 악착같이, 그리고 지나치다 싶을 정도로 꼼꼼히 주변을 경계하며 전진했다.

606 단독으로 목표 지점에 도착하는 것.

강찬이다.

강찬이 대한민국 특수팀의 전설 비무장왕과 그의 대원들, 증평의 특수팀, 그리고 국가정보원 대테러팀 앞에서 건네준 믿음이었다.

12시간을 달려야 하는 길. 허리 한 번 못 펴고, 저 멀리 있는 산마저 경계하며 달려야 하는 길.

사삭. 사사삭.

앞으로 이동한 정원민이 주변을 천천히 살폈다. 그리고 고개를 끄덕였다.

태양이 도로를 지나 건너편에 있는 것이 그나마 다행이었다. 바람이 불 때마다 도로에서 일어난 흙먼지가 덮쳤는데 그것도 상관없었다.

그런 작전 목표는 처음 들었다.

UIS 간부를 모두 죽이고, 다 함께 돌아간다니!

정말 멋지지 않은가?

정원민은 웃음이 피어날 뻔한 것을 부릅뜬 눈으로 겨우 막았다.

그의 시선에 최철한이 들어왔다.

때려도 좋고, 연병장을 뛰다 죽어도 좋으니 작전에 참가하게 해 달라고 매달리던 중사 최철한.

저놈의 근성을, 국제빌딩 작전 이후로 붉게 피어난 눈을 하고 훈련에만 매달렸던 것도, 정원민은 모두 알고 있었다.

'해 보자, 최철한!'

정원민은 지그시 이를 악물었다.

이 작전에서 UIS 간부를 모조리 사살하고, 저 대원들 모두 돌아가는 거다.

비록 이 군복이 그의 마지막 옷이 되더라도 말이다.

제6장

함께 가자

햇살이 전혀 여과되지 않은 것처럼 쏟아지는 오후였다.

저벅저벅.

능선을 따라 걷는 길이다.

석강호와 최종일이 앞쪽을, 제라르와 우희승이 뒤편을 맡았다.

강찬은 방아쇠 고리에 검지를 걸친 자세로 주변을 날카롭게 살폈다.

산을 타고 빙 돌아가는 길이다.

16시간을 꼬박 걸어야 제시간에 겨우 도착하는 행군.

조국을 위한다는 목표가 아니라면 중간에 퍼지기 딱 좋은 행군이었다.

강찬은 앞뒤로 시선을 돌리며 대원들을 살폈다.

확실히 606 출신들은 훈련 하나는 제대로 받았다. 지금 대테러팀 대원들의 모습을 보면 누구도 부인할 수 없는 일이었다.

강찬은 혼자 웃고 말았다. 도대체 이런 군인들이 대한민국에는 왜 이렇게 많은 건지…….

이러다간 '미영아, 미안하다! 난 조국과 대원들에게 인생을 뺏겼다!' 이러고 다니게 될지도 모른다.

저벅저벅.

20킬로그램이 넘는 군장을 짊어진 데다, 몸에 매달린 소총과 권총, 대검, 수류탄, 탄창 등의 무게를 더하면? 거기에 3시간 가까이 휴식 없이 걷는다면?

그냥 딱 죽을 맛인 거다.

끊어질 것처럼 허리가 아프고, 무릎과 허벅지, 그리고 발에서 느껴지는 통증은 말로 표현하기 어렵다.

저벅저벅.

그런데도 누구 한 사람 뒤처지지 않았다. 마음의 짐 때문일 거다.

지금쯤 쿠드스를 상대하고 있을지 모를 증평의 특수팀에 대한 마음의 짐.

30명이 200명을 상대한다.

저벅저벅.

증평의 특수팀이 감당해야 하는 처절한 전투가 대테러팀 대원들의 걸음을 멈추지 못하게 하고 있었다.

기운 내라, 쓰러지지 마라, 전우야.

내가 내딛는 걸음에 담긴 간절함을 듣고, 최후의 순간에도 꿋꿋하게 견뎌 다오.

태극기를 떠올리고, 우리가 돌아갈 대한민국을 가슴에 품고서, 너희가 기꺼이 피 흘려 지킬 조국을 향해, 함께 돌아가자, 전우야.

저벅저벅.

대원들이 간절한 바람을 담아 걸음을 옮기고 있었다.

강찬은 날이 바짝 선 얼굴이었다. 거기에 패이고 할퀸 상처들이 가득해서 전에 없이 독기 가득한 인상이기도 했다.

이 전투는 이전과 전혀 다르다. 핵탄두가 움직이는 거다.

물론 핵미사일을 본 적은 없다. 그렇다고 그 무서움을 모르지는 않는다.

아니, 오히려 무기가 주는 무서움을 알고 있기 때문에 더 두려운지도 모른다.

저벅저벅.

그 외에도 강찬이 없는 사이 밖의 분위기가 급격하게 변하는 것도 신경 쓰였다.

바실리와 루드비히가 힘 한 번 못 쓰고 계획을 바꿀 수밖에 없을 정도라면?

강찬은 라노크를 떠올렸다.

로망이나 조쉬가 목숨의 위협을 느낀 상태에서 그의 안전을 담보할 수 있을까?

바실리가 자신한다고 했었다.

그런데 하루도 지나기 전에 지원군을 못 보낼 상황에 빠진 그들이 과연 라노크를 구해 낼 수 있을까?

'대사님, 이 전투가 끝나면 바로 가겠습니다.'

강찬은 독기가 번들거리는 눈으로 먼 하늘을 보았다.

지하로 통하는 유일한 통로.

엘리베이터 문이 열렸다.

무장한 대원 셋, 요원 둘, 그리고 그 뒤에서 들어서는 남자.

시선을 들었던 라노크는 자리에서 일어섰다.

사르코스 프랑스 대통령은 경계하듯 주변을 둘러본 다음, 곧장 라노크를 향해 걸어왔다.

형식적인 예의다. 성의나 감정이 단 한 톨도 묻지 않은 표정과 자세로 두 사람이 악수를 나눴다.

"앉으시죠."

"고맙소."

사르코스가 자리에 앉자 라노크가 시선을 들어 뒤에 선 요원을 보았다.

사르코스는 알아챘고, 요원은 이해하지 못한 라노크의 시선.

"홍차를 준비해 주겠나?"

사르코스가 알아듣기 쉽게 입으로 설명해 주었다.

요원이 '아차!' 하는 태도로 안쪽 책상에 놓인 홍차 주전자와 차를 가지고 왔다.

달칵. 쪼르륵.

2잔의 홍차를 채운 요원이 사르코스의 뒤로 물러났다.

"지내기는 어떻소?"

"홍차와 시가가 있어서 불편하지 않습니다."

라노크가 시가를 들어서 불을 붙이는 틈이다.

사르코스가 뒤를 돌아보며 '잠시 자리를 비켜 주겠나?' 하고 말을 건넸다.

요원 둘이 엘리베이터 앞까지 움직였다.

"라노크, 왜 이리 고집을 피우는 거요?"

라노크는 시가의 연기를 뿜어낼 뿐, 말이 없었다.

"대통령이 된 것부터, 공트 자동차를 막아 준 것까지 난 당신에게 신세 진 것이 많고, 그 점을 잊지 않았소."

아직 본론이 나오지 않았다.

라노크도 알고, 사르코스도 아는 사실이었다.

가면을 쓴 듯한 라노크의 표정을 보며 사르코스가 어렵게 입을 열었다.

"당신을 복귀시키고 싶소. 내게 정치적 보복이 없다고 약속해 줄 수 있겠소?"

라노크가 긴 팔을 뻗어 재떨이에 재를 털었다.

"대통령님."

사르코스가 고개를 들며 집중한 다음이었다.

"내가 배신자를 어떻게 처리하는지 잘 아실 텐데요?"

"난 배신한 게 아니오. 그 점은 정말 나를 믿어도 됩니다."

라노크의 입끝이 살짝 움직였다.

"고작 로망의 말 한마디에 내게서 얻은 협조를 모두 잊은 분이 다음번에는 변하지 않는다? 그것을 어떻게 믿어야 합니까?"

"라노크, 그건 오해요."

사르코스가 빠르게 말을 이었다.

"로망이 내게 제시한 조건들을 완성하면 당신을 다시 만날 생각이었소."

라노크의 입술 끝이 다시 한 번 들렸다.

"아프리카를 완벽하게 우리 프랑스의 손에 넣는다는 내용이었소. 준비가 모두 끝났기 때문에 이번만 승인해 준다면 모든 것을 이룰 수 있다고 했었소."

"대통령 선거를 앞둔 시점에서 더없이 좋은 조건이군요."

"꼭 그런 건 아니오."

라노크는 어차피 관심이 없다는 투로 홍차 잔을 들어 입으로 가져갔다.

"라노크."

"원하는 게 뭡니까?"

라노크가 잔을 내려놓으며 던진 질문이었다.

"정치적 보복이 없을 것, 나의 안전을 보장할 것……."

사르코스가 주변을 살피고 다시 입을 열었다.

"다음 선거에서 협조해 줄 것."

라노크는 꼼짝도 않고 사르코스를 바라보았다.

무서울 정도였다. 가면을 쓴 것처럼 감정이 전혀 느껴지지 않는 표정과 그의 눈빛이 말이다.

"대통령님."

라노크가 나직하게 입을 열었다.

"로망의 어떤 조건이 나를 이곳에 가두게 했습니까?"

"라노크, 약속이 먼저요."

"내 말을 어떻게 믿으십니까?"

"당신의 말은 신뢰할 수 있지요."

"그럼 대통령님도 신뢰를 보여 주십시오. 간단하고 공평하지 않습니까? 로망의 어떤 조건이 나를 이곳에 넣게 했는지만 알려 주시면 됩니다."

사르코스는 마른침을 삼킬 뿐 입을 열지 못했다.

"정보총국을 손에 넣고, 나를 밀어내면 내게 부담 가질 이유도 없을 거라 기대하셨을 겁니다. 이해합니다."

라노크가 시가의 끝을 재떨이에 꾹 눌렀다.

"그 점을 믿으시면 그렇게 하시면 됩니다."

"로망은 라노크, 당신을 제거하려고 하고 있소."

라노크가 세 번째로 입술 끝을 들며 웃었다.

"라노크!"

언성이 높았던 것을 인식한 사르코스가 주변을 둘러보며 한숨을 내쉬었다.

"내 생각이 짧았소. 유럽 정보국과 러시아, 중국의 정보국이 우리 프랑스를 적으로 돌릴 줄도 몰랐고, 정보국과 정보총국이 이토록 갈라설 줄도 몰랐소. 그래서 이렇게 온 거요. 약속을 먼저 해 주시오."

"신뢰가 먼저입니다."

라노크는 전혀 타협할 생각이 없는 것으로 보였다.

"내가 일어서면 당신은 정말 로망의 손에 제거될 거요."

"판단은 대통령님이 하시는 겁니다."

"라노크, 후회할 거요."

라노크가 무표정한 얼굴로 대꾸하지 않아서 짧은 침묵이 테이블을 건너다녔다.

"도대체 왜 그렇게까지 한국의 애송이에 집착하는 거요?"

"세상에서 가장 강한 사람입니다. 그리고 그는 어떤 경우에도 신뢰하고 믿을 수 있는 사람입니다. 그런 사람이 나와 프랑스를 존중해 주었습니다. 혼이 팔린 로망과 대통령님이 망치기 전까지 말입니다."

숨도 안 쉬고 나온 답이다.

사르코스는 라노크의 의지를 분명하게 알았다.

잠시 침묵이 흐른 다음이다. 사르코스가 자리에서 일어났다.

"가겠소."

"살펴 가십시오."

라노크가 등받이에 등을 묻고 잡지를 집어 들었다.

사르코스의 기다란 한숨이 나온 다음이었다.

털썩.

그가 다시 소파에 앉았다.

"로망은 유럽과 아프리카, 아시아를 통합하는 화폐 제도를 도입하겠다고 했었소."

라노크는 차가운 눈빛으로 듣고만 있었다.

"중동의 산유국과 영국의 금융기관, 그리고 로드차일드 가문이 연합해서 새로운 금본위 통화를 만든다는 계획이오."

작정한 것처럼 사르코스가 말을 털어 냈다.

"미국의 달러가 무너지고 새로운 화폐가 아시아를 비롯한 전 세계를 지배하는 세상! 그 일에 협조하는 대가로 우리 프랑스는 아프리카 전체를 영원히 지배하는 거요."

"그게 가능하다고 믿으십니까?"

"석유 자본의 힘을 당신도 잘 알고 있지 않소? 달러가 금본위를 포기한 마당에 새로운 금본위 화폐가 생긴다면……. 그들의 자금력에 로드차일드 가문의 영향력이 합쳐진다면 이건 우리가 거역할 수 없는 일이요."

라노크는 먼저 고개를 저었다.

"로망이 멍청한 줄은 알았지만, 대통령님까지 프랑스를 팔아먹는 일에 동조할 줄은 몰랐습니다."

'라노크는 이미 알고 있었구나!'

사르코스는 갑자기 등골이 서늘해졌다.

"라노크, 이 계획이 왜 잘못되었다는 거요?"

"그들의 맞은편에 무슈 강이 서 있기 때문입니다."

"그러니까 위대한 프랑스의 영광을 위해 한국의 애송이를 이번에 제거하고 함께 힘을 모읍시다."

라노크가 차가운 눈으로 사르코스를 보았다.

"그럴 수 있다면 그렇게 하겠습니다. 그러나 프랑스는 아직 로망이 말한 계획을 우리 것으로 만들 인재가 없습니다. 아프리카를 우리에게 준다고 지킬 수 있겠습니까? 지금 그럴 능력이 있는 사람은 무슈 강, 단 한 사람밖에 없습니다."

"당신이 있지 않소?"

"대통령님."

사르코스가 입을 닫고 시선으로 답을 했다.

"유럽과 아시아, 미국을 손에 쥐는 것이 누구일 것 같습니까?"

"그야 아시아는 영국이, 아프리카는 우리가 지배하는 게 아니겠소?"

"영국은 이 모든 일을 기획할 능력이 없습니다. 나나 러시아의 바실리 하나 어쩌지 못하는 로망과 조쉬가 과연 세계 경제를 묶을 수 있겠습니까? 러시아, 중국, 미국의 저항을 이기고?"

"대안이 있다고 했었소."

"전쟁이라고 했겠지요."

사르코스가 놀란 얼굴로 고개를 끄덕였다.

"중국이 포함된 전쟁이 일어나고, 새로운 금본위 화폐가 등장하면 모든 계획이 실패한다고 해도, 그들은 파생 상품으로 세상에 도는 자본의 절반 가까이를 가져갑니다."

"그렇다면 우리도 파생 상품에 투자하면 되는 게 아니오?"

라노크는 한심하다는 눈빛을 감추지 않은 얼굴로 입을 열었다.

"프랑스는 로망이 전쟁을 계획했다는 이유로 배상을 해야 할 겁니다. 아마 아프리카의 지분을 요구하겠지요."

"승리한다면?"

"세상의 돈이 다 금본위 화폐를 쥔 누군가에게 몰립니다. 지금 이 계획이 배고픈 누군가의 절박한 욕구가 아니란 것을 명심하십시오. 가진 자는 더 가지고 싶어 합니다. 그것이 비록 상대의 마지막 생명줄일지라도."

"그러니까 이 계획이 성공해서 전쟁도 원하는 대로 일어나고 새로운 금본위 화폐가 도입된다면 우리 프랑스는 어떻게 된다는 거요?"

"그들이 금본위 화폐를 더 풀고, 덜 풀 때마다 프랑스의 식료품과 주택 가격, 그리고 임금 가치가 매번 바뀝니다. 우리는 그들에게 매달려야 하겠지요. 우리의 마지막 생명줄만은 끊지 말아 달라고."

놀라고 당황한 표정으로 있던 사르코스가 정신을 번쩍 차린 것처럼 라노크를 바라보았다.

"정치적 보복이 없을 것, 나의 안전을 보장할 것, 그리고 프랑스의 영광을 위해 일할 것."

"정보총국을 돌려준다면 받아들이겠습니다."

"알았소."

라노크가 잡지를 탁자에 내려놓자, 사리코스가 일어나 요원들에게 손짓을 했다.

'무슈 강, 조금만 더 견디면 됩니다.'

라노크는 무장한 대원들을 보며 강찬을 떠올리고 있었다.

강찬은 무전기의 버튼에 손을 올렸다.

치잇.

"다예, 휴식할 곳을 찾아봐."

치잇.

[알았소.]

오후 5시가 넘은 시각이었다. 산꼭대기에 걸린 태양이 후광처럼 빛나고 있어서 시야 확보가 까다로운 시간이기도 했다.

저벅저벅.

무전을 하고도 10분쯤 더 걸어간 다음이었다.

치잇.

[장소를 찾았소.]

석강호의 무전이 들렸다.

치잇.

"주변 둘러보고 대기해."

치잇.

[알았소.]

그렇게 다시 10분쯤 더 걷고 났을 때, 능선의 끝에서 소총을 들고 서 있는 석강호와 최종일이 보였다.

"여기요!"

강찬은 빠르게 앞으로 움직여 주변을 둘러보았다.

등 뒤는 산이 가리고, 앞쪽은 바위가 틀어막아서 그럭저럭 몸을 숨기기에 적당해 보였다.

"강명구!"

"예."

강명구가 빠르게 달려왔다.

"이곳에서 저녁을 해결하고, 30분 뒤에 출발한다."

"알겠습니다."

강명구가 좌우로 손을 흔들자 대원들이 그대로 바닥에 주저앉았다.

철컥. 철커덕.

강찬은 사방이 내려다보이는 능선 위로 올라갔다.

"밥 먹읍시다."

역시 이럴 땐 석강호다.

제라르와 둘이서 씨-레이션과 팩에 담긴 물을 들고 강찬이 있는 능선까지 올라왔다.

"먼저 먹고 교대하자."

"알았소."

제라르는 눈치로 알아챈 모양이었다.

두 놈이 마주 앉아서 버석거리며 음식을 입에 넣고 있었다.

벌컥. 벌컥.

강찬이 팩에 담긴 물을 마실 때였다.

"대원들을 이리 배치하겠습니다. 식사하시고 좀 쉬십시오."

능선을 올라온 강명구가 강찬에게 다가왔다.

"군장을 지고 온 대원들은 지금 아니면 쉴 시간이 없어. 그러니까 이쪽 걱정하지 말고 20분씩이라도 재워."

강명구는 이런 작전이 처음이다. 그래서 어떻게 하면 좋겠냐는 투로 석강호에게 시선을 주었다.

"지금은 무조건 자야 돼. 그러니까 빨리 가서 1분이라도 더 재워. 무리하다가 밤에 퍼지면 답 안 나온다."

"알겠습니다."

강명구가 돌아섰을 때 석강호는 식사를 마치고 자리에서 일어서고 있었다.

"얼른 식사하쇼."

이런 건 사양이고 자시고 없다.

강찬은 능선에서 내려와 제라르가 뜯어 준 씨-레이션을 입에 넣었다.

"제라르, 잠깐이라도 자라. 밤에 계속 움직인다."

"알겠습니다."

한두 번 해 본 짓이 아니어서 답을 한 제라르는 바로 능선 쪽으로 머리를 기댔다.

2분 만에 식사가 끝났다.

강찬은 바로 석강호가 있는 능선으로 올라갔다.

"내려가서 먼저 자."

"난 괜찮소. 몸도 그런데 눈 좀 붙여요."

강찬은 답을 하지 않고 주변을 둘러보았다.

"동균이 생각하는 거요?"

강찬은 피식 웃으며 걸어왔던 방향을 돌아보았다.

잘할 거다. 차동균과 증평의 특수팀이라면 말이다.

차동균은 무전기 버튼을 눌렀다.

치잇.

"좀 더 기다린다."

쿠드스는 당당하게 트럭을 타고 다가오고 있었다. 그들의 상징인 검은 특수복을 입고 말이다.

치잇.

[RPG7 2기, 확인했습니다.]

트럭의 뒤를 확인한 저격수의 보고도 들어왔다.

트럭만 10대, 지프가 2대다. 거리는 300미터쯤 남았다.

차동균은 주위를 둘러보았다. 이대로 산까지 다가오게 하는 건 아무래도 손해 보는 짓이다.

치잇.

"저격수, 지프 운전병을 사살해라. 이후에 지프의 기관총에 접근하는 놈이나, RPG를 든 놈을 우선 사살한다."

치잇.

[알겠습니다.]

그사이 트럭은 30미터쯤 다가왔다.

그러면? 270미터쯤 남은 거다.

저격수는 사격 연습을 할 때 수박이나 붉은색 페인트가 담긴 풍선을 표적으로 삼는다.

500미터, 800미터 저 너머에 사람 모형의 인형을 세워 놓는데, 그 인형의 머리에 수박을 넣거나, 붉은색 페인트가 담긴 풍선을 걸어 놓는 거다.

총탄이 날아가는 걸 본 적이 있나?

거리가 500미터가 넘으면 마치 물속에서 총알이 날아가는 것처럼 허공에 총알의 궤적이 흐릿하게 보인다.

그리고 수박이나 풍선에 총알이 명중하는 순간이면 정말 사람 머리가 터진 것처럼 뒤편으로 붉은색이 확 퍼진다. 그렇게 연습해야 실제로 적의 머리를 터트릴 때 당황하거나 놀라지 않는다.

생각보다 저격은 끔찍하다. 방아쇠를 당기는 순간, 조준경에 담긴 적의 머리가 터져 나갈 것을 감당하는 일이 어려운 거다.

차동균이 앞을 노려볼 때였다.

부슝! 부슝!

2발의 총성이 먼저 들리고, 눈 한 번 깜박하는 순간이 흐른 뒤에 지프 운전사의 머리가 터져 나갔다.

끼이이익!

지프가 방향을 잃고 흐르는 옆에서 트럭들이 급하게 멈춰 섰다.

부슝! 부슝! 부슝!

3발의 총성이 또 들렸다.

지프의 뒤에서 기관총을 들던 적 3명이 뒤로 날아가는 것처럼 차에서 떨어졌다.

이제 195명밖에 안 남았다.

고약한 침묵이 산에 몸을 숨긴 증평의 특수팀과 트럭 뒤에 숨은 쿠드스 사이를 떠다녔다.

5명의 적이 죽어 나자빠졌다.

뭐, 꼭 미친놈들처럼 달려들기를 바란 건 아니다. 그렇다 치더라도 머리카락 보일라, 아니지 두건 끝 보일라 하는 것처럼 저렇게 대가리들을 콕 처박고 있는 건 아무래도 수상하다.

차동균은 강찬처럼 판단하고 움직이려 애썼다. 그래서 그는 한재국을 잃었을 때 석강호가 해 주었던 말을 떠올렸다.

'가라 앉혀.'
'지휘자가 흥분하면 대원들 모두 죽는다.'
'다독여라. 대장이 있었다면 어떻게 했을지를 생각해. 안 되겠으면 흉내라도 내.'

강찬이 여기 있었다면 어떻게 했을까?

그러고 보면 같은 편이 봐도 끔찍할 정도로 적을 상대하던 강찬은 늘 위급한 순간에 대원들에게 힘을 실어 주었었다.

'해 보겠습니다. 해낼 겁니다.'

훈련은 그 어디에도 뒤지지 않는다고 인정해 주었던 강찬이었다.

경험이 부족한 것이 아쉽다던 강찬이다.

죽을 곳에 끌고 다닌 게 좋으냐고?

피식.

차동균은 강찬의 흉내를 내며 웃었다.

그럼 그동안의 경험 없이 저 지긋지긋한 검댕이 복장의 쿠드스 200명과 마주쳤다면 어떨 것 같은데?

차동균은 무전기의 버튼에 손을 올렸다.

치잇.

이럴 때 그가 무전을 한 적이 있던가?

5미터쯤 떨어진 곳에 있던 곽철호와 그보다 좀 더 멀리 있는 윤상기가 힐끔 시선을 주었다.

"벌써 195명밖에 안 남았다."

곽철호가 어이없다는 표정을 감추지 않은 채로 대놓고 차동균을 바라보았다.

"아프리카에서 경험했던 대로라면 밤에 달려들 거다. 저 새끼들이 굳이 검은 군복을 처입고 온 걸 보면 딱 그렇잖냐?"

거리가 제법 되었다. 몸도 완벽하게 숨겼다.

그래서인지 기가 막힌 심정을 픽 하는 웃음으로 표현하는 대원도 있었다.

치잇.

"저격수는 적의 RPG와 기관총을 지킨다. 나머지 대원들은 근처의 대원들과 2인 1조로 휴식을 취해라. 밤이다. 밤이 오면 저놈들에게 우리가 누구에게서 배웠는지를 뼈저리게 가르쳐 주자."

조금 떨어진 곳에서 곽철호가 적을 힐끔 쳐다보았다.

우리가 언제부터 쿠드스 200명을 저런 눈으로 볼 실력을 갖춘 거지?

치잇.

"대장이 늘 하던 말을 한 번 흉내 내 볼 생각인데……."

이 양반이 오늘 왜 이렇게 말이 많아?

곽철호가 '이번엔 또 뭔 소리를 하려고 저러나?' 하는 시선을 주었을 때였다.

"오늘 저놈들은 한 놈도 빠짐없이 죽음의 신을 만난다. 우리를 가르친 사람이 죽음의 신이기 때문이다. 내가 가장 앞에 서겠다. 우리 저놈들을 모조리 해치우고, 다 함께 돌아가자."

무전을 마친 차동균은 아무렇지도 않은 척, 적에게 시선을 돌렸다.

곽철호와 윤상기의 반응이 강찬이 말할 때와는 달랐는데, 차동균은 나쁘지 않았다.

적을 앞에 두고 이런 여유를 부릴 수 있는 특수팀. 증평의 특수팀은 결국 이 정도까지 성장한 거다.

차동균은 나직하게 숨을 내쉬며 산 위쪽을 살폈다.

20분? 30분?

그림자에 숨은 어둠이 산의 중간까지를 처먹고서 적들이 깔린 널따란 길을 향해 서서히 움직이고 있었다.

치잇.

[적의 후미가 움직입니다.]

그 순간, 높은 곳에서 지켜보던 저격수의 보고가 들어왔다.

철컥! 철커덕! 철컥! 철컥!

백 번이면 백 번 모두 확인하라고 배웠다. 차동균을 비롯한 대원들이 노리쇠를 당기며 적을 노려보았다.

'잘해 낼 겁니다.'

차동균은 어쩐지 강찬이 지켜보고 있는 것만 같았다.

그사이, 주변이 어둑어둑해졌다.

강찬은 무전기의 버튼에 손을 눌렀다.

치잇.

"출발한다."

군장을 메는 소리, 몸에 달린 무기들과 소총이 쩔걱거리는 소리가 아프가니스탄의 능선에 묻었다.

"다예, 경계를 좀 더 철저히 해."

"알았소."

옆에 서 있던 최종일이 시선으로 인사를 건네고 석강호와 함께 앞으로 나갔다.

"제라르, 경계를 좀 더 높인다."

"Oui."

강찬의 눈빛과 말투, 그리고 지시의 의미를 누구보다 잘 아는 석강호와 제라르다.

다부진 답을 한 제라르가 우희승과 함께 뒤로 움직였다.

강찬은 어둠이 내리는 주변을 천천히 둘러보았다.

해가 질 때면 산 너머에 조명을 켜 놓은 것처럼 능선의 굴곡이 선명하게 보인다.

적지다. 적의 아가리에 이미 한 발을 들여놓은 거고, 지금부터는 언제 어디서 전투가 벌어질지 모른다.

강찬은 천천히 숨을 들이마셨다.

붕대로 막아 놓은 상처들이 욱신거렸고, 몸을 움직일 때마다 짜릿한 통증이 기다렸다는 것처럼 튀어나왔다.

이런 거? 얼마든지 감당한다. 작전을 마치고 대원들과 함께 돌아갈 수만 있다면 말이다.

핵미사일은 잠시 뒤로 미뤘다.

증평의 대원들은 잘하고 있을까?

강찬이 뒤편을 돌아볼 때였다.

치잇.

[전방 확보했소.]

석강호의 무전이 날아들었다.

치잇.

"이동 간에 경계 상태를 좀 더 높인다. 출발."

강찬의 명령이 떨어지자 대원들이 움직이기 시작했다.

저벅저벅. 쩔걱쩔걱.

강찬은 원래 맡았던 중간 자리를 지키며 앞으로 나갔다.

빌어먹을!

갑자기 피어나는 불길한 느낌에 그는 욕을 삼켰다.

차라리 눈앞을 새카맣게 메우고 달려드는 적은 보이기라도 하지. 어디에서, 어떤 일이 벌어질지 모르는 상태에서 느끼는 본능의 경고는 정말이지 속을 바싹바싹 태운다.

강찬은 주변을 날카롭게 둘러보았다.

해가 숨기 직전, 아프가니스탄의 능선에서.

양동식은 물을 마시고 비닐 팩을 뒷주머니에 넣었다.

세상 참 좋아졌다. 달깍거리는 수통이 아니라 이렇게 넓고 얇게 펴지는 비닐 팩에 물을 담아 다닌다.

아직 저격수를 만나지는 못했다. 무전기 버튼을 누르는 소리도 들리지 않았으니 그건 대원들 전체가 마찬가지란 뜻이었다.

'이 새끼들이 어디 처박힌 거지?'

양동식은 어깨 뒤에 걸어 두었던 대검을 꺼내 들었다.

주변이 어둑어둑해졌다.

아프가니스탄이라 그런가? 느닷없이 뜬금없는 달이 휘영청 떠올랐다.

달을 보면 양동식은 이상하게 양소미가 떠오른다.

그년은 식당 할 줄 알았다. 그것도 중식당을 말이다.

펑퍼짐한 몸매에 자장면이라면 사족을 못 쓸 때부터 정말이지 꼭 그럴 것 같았다.

양동식은 고개를 털며 앞으로 움직였다.

집중하자. 지금은 집중하는 거다.

비무장팀은 맡은 구역이 있다. 산을 넘어서 마주 선 다른 산이나 풀이 짙게 난 곳을 향해 곧게 선을 그린 것이 맡은 이동 경로다.

비탈이 심해서 직선으로 갈 수 없다면?

양동식이나 비무장팀 대원들이 못 지날 정도의 비탈이라면 절대로 적은 은신하지 못한다.

스스슥. 스슥.

양동식은 최대한 소리를 죽이며 몸을 움직였다.

아무리 노력해도 강철규처럼 소리를 완전히 죽이지는 못한다.

하긴, 강철규가 움직이는 것을 보면 사람이라기보다는 그냥 한 마리 살쾡이 같다. 풀숲에서 미끄러지는 것처럼, 소리조차 내지 않고 적에게 다가가는 것을 볼라치면 적이 아닌 게 얼마나 다행인가 싶다.

그런데 하필이면 왜 그런 놈하고 만났지? 주방장을 하는 사위 놈이 바람이 났던 모양이다.

아니지!

양동식은 또다시 머리를 털었다. 그러고는 나직하게 숨을 뱉어 냈다.

이상스레 잡생각이 많아진다.

이게 다 그 사위 새끼 때문이다. 펑퍼짐하고 양동식을 닮아서 성깔 있어 그렇지, 그럭저럭 봐줄 만한 양소미를 두고 바람을 피워?

'사위 새끼 개새끼!'

양동식은 언제고 한 번 사위 놈을 만나야겠다고 이를 악물었다.

은은한 달빛이 기괴하고 스산하게 비치는 산이다.

귀신의 눈구멍 같은 총구를 만나면 이 세상 끝나는 그 위험한 길을 지나가는 중이다.

'후배들은 잘하고 있나?'

오늘은 정말이지 이상하게 잡생각이 많이 든다.

어둠이 내리자 정원민은 그나마 여유가 생겼다.

강과 도로 사이에 유독 어둠이 짙어서 훨씬 수월하게 움직일 수 있었다.

치잇.

"정찰조, 앞쪽에 구부러지는 언덕을 살펴봐. 저녁을 해결할 장소가 필요하다."

치잇.

[알겠습니다.]

악착같이 이동했다. 휴식도 없어서 물도 제대로 마시지 못했다.

대원들 모두 이해하고 있을 거다. 증평의 특수팀은 쿠드스 200명을, 비무장팀은 산 여기저기 처박힌 저격수 60명을, 강찬과 대테러팀은 울퉁불퉁 솟은 산을 타고 빙 돌아서 목적지로 향한다는 것을 말이다.

훈련에서 독하게 굴었다. 조금이라도 마음에 들지 않으면 악착같이 다시 굴렸었다. 그런 훈련이 절박한 순간에 대원들을 살리는 일이라고 믿어서였다.

치잇.

[위치 확보했습니다.]

치잇.

"전원 정지. 선두에서 4명 주변 경계, 나머지 대원은 2미터 간격으로 저녁을 먹는다."

정원민의 무전이 떨어지자, 대원들이 자리에 멈춰 섰다.

적이 어디 있는지 모를 곳이다. 사이좋게 모여서 도시락 까먹다가는 적의 기관총 한 대에 몰살한다. 그래서 이렇게 기다리다가 앞의 대원이 앉는 자리에서 2미터쯤 떨어져 앉는다.

쩔걱.

앞의 대원이 앉는 것을 본 정원민이 최대한 도로를 향한 언덕에 몸을 숨기며 자리에 앉았다.

부스럭. 부스슥.

그러고는 등에 멨던 군장에서 씨-레이션을 꺼냈다.

니미! 휘영청 달도 밝다.

바스락. 바삭.

앞과 뒤에서 날아오는 씨-레이션을 뜯는 소리, 바람 소리를 들으며 정원민은 주먹밥을 욱여넣었다.

우걱우걱.

개처럼 먹는다고? 그렇게 먹으며 개고생하는데 왜 그렇게 606 특임대라는 이름에 얽매여 사냐고?

정원민은 영양제가 섞인 미숫가루를 손으로 집어 입으로 가져갔다.

달아, 달아, 밝은 달아.

나 좀 예쁘게 잘 좀 비춰라.

내 왼팔에 달린 태극기가 헛소리하는 놈들 눈에 제대로

보이게!

 정원민은 비닐 팩을 들어 물을 빨아들였다.

 조국이 부르는 소리 들어 봤냐?

 개고생? 국제빌딩에서 피를 쏟으며 죽은 대원들이 마지막으로 부탁한 것이 뭔지 짐작이나 하냐?

 시신조차 남기지 못한 채, 이 하늘 어딘가에 떠 있을 우리의 파일럿들이 간절하게 품었을 바람은?

 정원민은 씨-레이션 봉지를 접고 접어서 군장의 끝에 찔러 넣었다.

 시선을 돌렸을 때 대원들 모두 식사를 마치고 정원민과 비슷한 자세로 앉아 있었다.

 욕을 처먹고도 악착같이 매달리던 중사 최철한이 정원민을 보고 웃었다.

 내가 밉거나 원망스럽지 않냐?

 아닙니다!

 그의 눈에서 답을 들은 것만 같았다.

 정원민은 웃음이 나오려는 것을 인상을 버럭 쓰는 것으로 막았다. 최철한의 입가에 달린 밥풀과 턱 쪽에 붙은 미숫가루 때문이었다.

 나중에 먹을 도시락이냐?

 왜 그러십니까?

 하마터면 웃음을 터트릴 뻔했다.

그 순간이었다.

부슈웅! 부슈웅! 부슈웅!

퍼억! 퍼억! 퍼억!

최철한의 머리가 커다랗게 흔들렸다.

철컥! 철커덕! 콰작! 콰자작!

대원들이 재빨리 자세를 갖추고 소총을 겨눴다.

버석. 버서석.

정원민은 바닥을 기다시피 최철한에게 다가갔다.

"야! 최철한!"

부슝! 부슝! 파박! 파악!

"강 건너, 산 위에 있습니다!"

"저격수! 위치 파악해서 대응사격해!"

정원민은 최철한의 상체를 잡아당겼다. 코와 귀, 눈에서 흘러내린 피가 입가의 밥풀과 턱에 묻은 미숫가루를 붉게 물들여 놓았다.

목을 맞았다. 그래서 목이 반쯤 떨어져 있었다.

이 멍청아! 그러게 그냥 있으라니까!

이럴 줄 알았으면 아까 웃어 주기라도 할걸!

지금은 시간을 끌 때가 아니었다. 정원민이 몸을 돌려 소총을 세울 때였다.

부슈웅! 부슝! 부슝! 팍! 파박! 팍!

그의 앞 흙이 튀었다.

"피해 보고해!"

"구승조와 성호가 당했습니다."

부슝! 부슝! 파악! 피잉!

푸슝! 푸슈슝! 푸슝!

이번엔 아까와 다른 곳에서 총알이 날아왔다.

저격수가 이리 모인 거구나!

"무전기!"

정원민은 옆을 향해 고함을 질렀다.

멀리서 먼지가 또다시 피어올랐다.

어둠이 주변을 거의 다 잡아먹은 시간이었다.

치잇.

"저격수! 다가오는 트럭 살펴!"

차동균이 무전을 보낸 다음이었다.

차동균은 욕을 삼켰다.

상황에 맞지 않을 만큼 달이 밝은 밤이다. 라이트도 켜지 않은 트럭들이 달려오고 있었다.

치잇.

[트럭 15대입니다! 적의 반응으로 봐서 적군과 합류하는 병력 같습니다!]

이 개새끼들! 그래서 기다리고 있었던 거구나!

상황을 파악하는 사이, 다가온 트럭이 쿠드스의 트럭과

합류했다.

새로 온 트럭의 절반에서만 적군이 뛰어내렸다.

차동균은 아예 헛웃음을 웃고 말았다.

아직 내리지 않은 트럭에도 적이 타고 있다면 너끈히 3백은 넘는 적이 새롭게 합류한 거였다.

차동균은 고개를 돌려 좌우를 살폈다.

치잇.

"전에 아프가니스탄에서 싸울 때 기억해라! 저 새끼들 저대로 밀고 올 수 있고, 우리를 포위하고 달려들 수도 있다! 최대한 접근할 때까지 기다린다! 저격수! 미사일과 기관총 끝까지 지켜!"

무전을 마친 차동균이 앞을 노려볼 때였다.

"우리는 어째 만나기만 하면 단체 손님입니까!"

멀리서 윤상기의 황당한 질문이 날아왔다. 무전기를 통하지 않고 악을 쓰고 있어서 그의 질문이 산을 쩌렁쩌렁 울렸다.

하긴! 어차피 이곳에 몸을 숨긴 것은 적도 모두 아는 사실이니까.

"미친년들아! 우리 영업 방침 몰라! 일당백! 그러니까!"

이번 고함은 곽철호의 것이었다.

"화장 곱게 하고! 손님들 제대로 맞아!"

'저 새끼들이 미쳤나?' 싶을 만큼 황당한 질문과 답이었는데 그걸 모두 듣고 났을 때 차동균은 이상하게 가슴이 뜨거워졌다.

"빨리 처리하고!"

그래서 차동균도 악을 써 댔다.

"다 함께 돌아가자!"

그의 고함이 산에 부딪쳤을 때였다.

부르릉! 부르릉! 부르르릉!

나중에 나타난 트럭들이 시동을 걸었다.

"저격수! 부탁한다!"

"맡겨 주십시오!"

그래! 무전 안 하니까 분위기 하나는 정말 좋다!

철컥. 철커덕! 철컥! 철컥!

어둠 속에서, 달빛에 의지한 채, 차동균을 시작으로 대원들이 소총을 겨누는 순간이었다.

"알라후 아크바르!"

적들이 증평의 특수팀과는 비교도 되지 않을 엄청난 고함을 질렀다.

밤이다. 적의 숫자가 많아서 그런지, 넓게 퍼진 강한 고함이 섬뜩한 느낌으로 다가왔다.

부르릉. 부릉. 부르르릉.

트럭이 산을 향해 움직였다. 그리고 그 트럭의 뒤에 새로 나타난 적들이 몸을 숨긴 채 달려왔다.

치잇.

"쿠드스가 안 보인다! 좌측과 우측 경계 철저히 하고! 저격수 엄호병! 뒤에서 올라오는 적 살펴!"

적이 100미터 안쪽에 들어서고 있었다.

'오냐!'

차동균은 방아쇠에 검지를 걸었다.

아프리카 때와 비슷한 상황이었다. 밤을 이용해 바퀴벌레처럼 다가오는 게.

차동균은 검지를 서서히 당겼다.

푸슝! 푸슝! 푸슝! 푸슝!

대원들의 소총에서 튀어 나간 총알이 트럭과 그 뒤에 몸을 감춘 적을 향해 날아갔다.

투두두둑! 투두둑! 투두두두둑!

익숙한 반격이 날아왔다.

시작이다. 이제부터 또다시 지옥이 시작되는 거다.

강철규는 걸음을 멈추고 주변을 파듯이 둘러보았다.

심장의 경고다. 본능이 더는 앞으로 나가지 말라고, 아니! 이곳을 빠져나가라고 외치고 있었다.

이 정도로 심장이 두근거리다니!

산의 중턱에서 내려가는 길이다. 맞은편의 산으로 바로 들어갈 수 있을 정도로 간격이 좁은 산.

함께 가자 • 229

심장이 좀 더 커다랗게 뛰기 시작했다.

강철규는 빠르게 무전기의 버튼을 눌렀다.

치잇.

"전원 정지!"

이미 몸을 감춘 다음이다.

강철규는 앞쪽 산을 노려보았다. 가깝기도 할뿐더러 저쪽에서는 이곳을 내려다보기까지 한다.

'저기에 있는 건가?'

이 정도의 경고라면 혼자 나서는 게 옳다.

치잇.

"내 지시가 있을 때까지 현재 자리를 지킨다. 적이 다가오면 우리 방식으로 해결해라."

무전을 마친 강철규가 자세를 낮추고 움직이기 시작했다.

저격수? 눈앞에 보이는 산 위에 60명의 적이 다 처박혀 있다면, 차라리 그런 거라면 싶었다.

그가 날을 날카롭게 세우고 몸을 움직일 때였다.

삐이이이이이융! 삐이이이이이융! 삐이이이융!

휘파람 소리와 함께 하얀 연기가 산 정상에서 날아왔다.

홱!

강철규는 악착같이 몸을 돌리고 날아오는 연기를 피해 달렸다.

콰으으응!

그의 근처와 산 아래에서 두 번의 폭발이 있었다.

철퍼덕!

강철규가 거칠게 처박히는 순간이었다.

삐이이이이융! 삐이이융! 삐이이이이융!

또다시 적의 RPG가 날아들었다.

강철규는 이를 악물고 몸을 움직였다.

콰으으웅! 콰웅! 콰으으으웅!

그의 몸이 높다랗게 떠올랐다가,

철퍼덕!

바닥에 떨어졌다.

부스스스스.

"크흑!"

그가 바닥을 짚은 팔에 의지해 몸을 일으키는 순간이었다.

삐이이이이융! 삐이이융! 삐이이이이융!

미사일은 강철규뿐만 아니라 비무장팀 대원들이 있을 법한 곳을 향해 연속해서 날아들고 있었다.

콰으으으웅!

또다시 허공에 높다랗게 떠오른 강철규의 몸이 비탈에 처박혔다.

제7장

보고 있냐고?

GOD
OF
BLACK FIELD

꿈틀.

강철규의 손이 비탈에 불룩 나온 바위를 잡았다.

세상이 바뀌었다.

예전에는 저격수, 소총, 지뢰가 설치는 세상이었다면 지금은 저격수가 '알라의 요술봉'이라는 RPG7을 갈겨 댄다.

삐이이이이융! 삐이이이이융!

미사일은 계속 날아왔다. 하지만 대원들이 몸을 감춰서 그런지 처음처럼 무지막지하게 날아들지는 않는다.

세상 참 우습다. 세 번이나 몸이 떴다가 처박히는 바람에 미사일의 사정거리에서 벗어나 있는 거다.

고개를 털어 낸 강철규는 비탈을 간이 낚시 의자처럼 깔고 앉았다.

온 얼굴과 몸뚱이가 감자 캐 먹고 나온 멧돼지처럼 흙범벅이었다.

파편이 박혔는지 등과 오른쪽 어깨가 뜨끔거렸으며, 얼굴과 몸 이곳저곳에서 피가 흘러나오고 있었다.

피식.

강철규는 손을 들어 머리칼을 털었다.

손등에도, 그리고 흙이 털린 머리에도 피가 엉겨 있었다. 이 꼴을 강찬이 보지 않았다는 것이 다행이란 생각도 들었다.

삐이이이이융!

미사일 소리가 뜬금없이 들렸고,

꽈으으으으웅!

커다란 폭발과 함께 강철규가 앉은 비탈이 흔들렸다.

부스스슷! 부스스!

비탈이다. 아래로 돌가루와 흙이 무너져 내렸다.

이 벌레만도 못한 것들이 미사일 좀 손에 들었다고 보이는 게 없는 모양이다.

그렇다면 강철규가, 비무장팀이 왜 그렇게 러시아와 중국, 북한의 특수팀에게 공포의 대상이었는지를 알려 줄 차례인 거다.

강철규는 무전기 버튼을 들었다.

치잇.

"남일규."

강철규가 주변을 둘러보았을 때였다.

치잇.

[선배님! 이쪽은 사망 2명, 부상 3명입니다.]

속삭이는 듯한 남일규의 무전이 들어왔다. 그리고.

치잇.

[제가 있는 쪽은 사망 1명, 부상 5명입니다.]

양동식의 무전이 연달아 들어왔다.

치잇.

"작전에 나설 수 있는 대원 모두 대기한다. 내가 뒤로 돌겠다. 우리 방식대로 응징한다."

치잇.

[알겠습니다. 그런데 관리실에 보고는 어떻게 합니까? 적이 나타나면 보고하기로 했었습니다.]

답을 들은 강철규가 몸을 일으켰다.

치잇.

"일규 네가 알아서 보고하고, 우리 쪽에서 해결하겠다고 해라."

치잇.

[예.]

밤이다. 저 높이 커다란 달이 떠 있고, 주변에 별을 흩뿌려

놓은 아프가니스탄의 밤.

　강철규가 고개를 돌려 적이 있는 산을 바라보았다. 독이 잔뜩 오른 살쾡이처럼 번들거리는 눈빛으로 말이다.

　대가리를 모조리 나무에 걸어 주마!

　스페츠나츠든, 백랑이든, 공강병이든!

　강철규가, 비무장팀이 이곳을 지나갔다는, 이곳에서 분노했었다는 것을 분명하게 알게 말이다.

　푸슝! 푸슈수웅! 푸슝! 푸슝!

　606 대원들은 적이 있을 거라고 여겨지는 산을 향해 방아쇠를 당겼다.

　벽돌만 한 무전기다.

　"관리실! 여기는 6동이다! 적 저격수를 만났다! 규모는 파악하기 어렵고, 아군 사망 3명이다!"

　정원민이 무전기에 대고 같은 내용을 두 번이나 쏟아 낸 다음이었다.

　[6동! 이동 가능한가?]

　강찬의 음성이 들렸다.

　"강 너머에 저격수가 있어서 당장 전진하는 것은 어렵다! 이쪽을 우리가 알아서 처리할 수 있게 허가 바란다!"

　짧은 침묵이 흐른 다음이었다.

　[알았다. 6동! 판단대로 움직여라!]

"알았다, 관리실!"

정원민은 무전기를 건네주고 강 건너편을 노려보았다. 몸을 제대로 감추고 있어서 당장 적의 저격이 날아들지는 않았다.

말라비틀어진 물줄기 중간에 섬처럼 흙더미가 올라와 있는 얕은 강이다.

고작 저격수만으로 우리를 잡겠다고?

꿈 깨라. 너희는 우리가 어떤 훈련을 받는지 모른다.

내가 어떻게 우리 대원들을 굴렸는지 너희는 상상조차 못한다.

이제부터 그 훈련의 무서움을 제대로 가르쳐 주마.

정원민은 고개를 옆으로 돌렸다.

"한정수! 정욱! 4명씩 데리고 나와 넘어간다! 박남기! 네가 이쪽에서 엄호해!"

"알았습니다."

한정수가 몸을 움직이는 순간이었다.

부슈웅! 부슝!

적의 사격이 날아들었고,

푸슝! 푸슈슝! 푸슝!

대원들이 바로 대응사격을 날렸다.

차동균과 증평팀은 쉴 새 없이 방아쇠를 당겼다.

산으로 올라오는 길목에 트럭을 처박아 놓은 적들은 성을 공략하기 직전의 오랑캐처럼 시간을 끌고 있었다.

하긴 중간에 몸을 숨길 곳이 전혀 없는 산을 올라오기는 어려울 거다.

아군의 장점은 산 위에 있다는 것이고, 단점은 산이 그리 높지 않다는 것이었다.

푸슝! 푸슝! 투두둑! 투두두둑! 투둑!

번갈아 소총을 쏘고,

부슝! 부슈웅! 부슝!

아군 저격수가 미사일을 든 적이나 기관총에 다가서는 적을 사살했다.

'저놈들이 또 뭘 기다리는 거지?'

차동균은 주변을 둘러보았다. 그리고 한순간 등골이 서늘해졌다.

치잇.

"저격수! 적이 끌고 온 트럭 경계해!"

차동균이 무전을 전한 직후였다.

펄럭! 펄럭! 펄럭! 펄럭! 펄럭!

적들이 트럭 뒤의 천막을 벗겼다.

기관총이다! 기관총이 있었다.

투타타타타타타! 투타타타타타타!

5대의 기관총이 불을 뿜었다.

퍼버버버버버벅! 퍼버버버버버벅!

적격수가 있는 곳, 그리고 차동균과 곽철호, 윤상기의 앞이 커다랗게 터져 나갔다.

차동균이 고개를 처박은 틈이다.

투두두둑! 투두두두둑! 투두둑!

적들이 일제히 달려들었다.

남일규, 정원민과 무전을 마친 강찬은 건네받은 위성 전화의 전원을 켰다.

통화 버튼을 누르고 신호음이 세 번쯤 들린 다음이었다.

[상황실입니다.]

김형정의 답이 들렸다.

[적이 위성으로 아군의 위치를 파악했던 모양입니다. 전화를 끊으면 다시 위성 방해를 할 예정이어서 그동안은 위성 전화를 사용하지 못합니다.]

김형정이 다급하게 전하고 싶은 내용을 쏟아 냈다.

[관리실을 제외한 세 곳이 곤경에 빠져 있습니다.]

무전을 통해서 이미 알고 있는 내용이었다.

"다른 사항은요?"

[내부적으로 조사하는 것이 있는데 아직 특별한 내용은 없습니다.]

"그럼 내일 오전 08시에 전화드릴게요."

전화를 끊은 강찬은 어두운 하늘을 바라보며 바실리의 번호를 눌렀다.

빌어먹을 놈의 위성!

'그나저나 세 곳을 공격하면서 왜 이쪽은 조용한 거지?'

강찬이 신호음을 듣고 있을 때였다.

[무슈 강.]

뜻밖의 목소리에 강찬은 제대로 답도 하지 못했다.

[무슈 강?]

"대사님? 대사님이세요?"

[무슈 강도 놀랄 때가 있습니까?]

강명구와 대원들이 프랑스 말을 쏟아 내는 강찬을 신기한 눈으로 힐끔거렸다. 제라르와 대화하는 것과는 다른 느낌인 모양이었다.

[이 전화는 5분 뒤부터 사용할 수 없습니다. 시간이 급하니 우선 전할 내용부터 말하겠습니다. 러시아, 중국, 독일, 그리고 프랑스 외인부대 특수팀이 출발했습니다. 정보총국과 러시아 정보국은 이반에게서 산 미사일이 핵탄두를 장착하지 않았다고 판단하고 있습니다.]

"그렇다면 핵미사일은 없다는 건가요?"

[그보다는 잠수함에서 바로 발사할 수 있을 것 같습니다. 한국에 OTP가 있으니 다른 방법을 찾았을지 모릅니다.]

"알겠습니다."

[무슈 강.]

"예, 대사님."

급한 상황에서 라노크가 강찬을 나직하게 불렀다. 분명 전하고 싶은 다른 말이 있다는 뜻인 거다.

[핵미사일을 실은 잠수함 알리가 북태평양에 있습니다. 그렇다면 핵미사일의 목표는 한국이 아닙니다.]

이건 또 무슨 소리지?

강찬이 고개를 갸웃하는 순간이었다.

[알리에서 발사한 핵미사일은 분명 미국을 노릴 겁니다. 그렇게 되면 러시아제 핵탄두를 러시아 잠수함에서 발사한 게 됩니다.]

염병할!

강찬은 애꿎은 하늘을 노려보았다.

쓸데없이 무기들을 발전시키더니 이런 일이 생긴다. 저 위성처럼 말이다.

[셔먼은 이제야 당황한 것으로 보입니다. 미국이 알리를 찾아 나섰지만, 함부로 대응할 수는 없습니다. 마치 예전의 타이타닉 호와 똑같은 상황입니다.]

타이타닉? 잘나간다고 설치다가 바다에 빠져 버린 그 배가 갑자기 왜 튀어나왔을까?

[미국의 항공모함이 이동하고, 전투기가 대기하고 있지만, 아프가니스탄에 폭격을 감행하지는 못합니다. 발사 장

치, 혹은 별도의 OTP가 어디 있는지 모르기 때문입니다.]

"단서도 없나요?"

[전혀 없습니다. 그래서 이 부분은 무슈 강과 한국의 특… 알아서… 유일한 방법…….]

몇 번이나 '알로!'를 외쳤던 강찬이 위성 전화를 꺼 버렸다.

밤 8시가 조금 넘은 시간이었다. 이곳에서 직선거리로 움직이면 비무장팀까지는 3시간 거리, 다시 그곳에서 606까지는 2시간 거리다.

강찬은 시선을 돌려 강철규와 정원민이 있는 하늘을 바라보았다.

"모여 봐!"

강찬의 말에 대원들이 둥그렇게 주변으로 몰려들었다.

석강호와 최종일, 제라르와 우희승이 양쪽 끝을 경계하는 틈이다.

"이곳에서 비무장팀이 적을 만났고, 여기에서 606이 저격을 받았다. 양쪽 모두 3명씩 사망자가 나왔다는 보고다."

강명구와 대원들이 눈을 번들거리며 지도에서 시선을 들었다.

"핵미사일을 발사할 장치가 루카 지역 어디엔가 있다. 프랑스 외인부대 특수팀, 러시아, 중국, 독일의 특수팀이 출발한 상황이다. 북태평양에 있는 잠수함에서 미국을 향해 핵미사일이 날아갈 가능성이 있다."

강찬은 현재 있는 곳에서 손가락으로 루카를 바로 이었다.

"우리는 외곽으로 돌아가려던 계획을 취소하고 이렇게 직선으로 움직인다. 적어도 5시간에서 6시간을 줄일 수 있을 거다."

강명구가 고개를 끄덕였다.

"다행히 산이 그렇게 높지는 않은데 그렇더라도 이 장비를 다 가지고 가기는 어렵다. 그래서 지금 이곳에서 식사를 한 번 더 하고 출발한다."

마음이 급했다.

당장 강철규와 비무장팀, 606이 치열하게 적과 다투고 있는 거다. 그뿐이 아니다. 증평의 특수팀은 연락할 짬도 없는 게 분명했다.

그렇지만, 상황이 아무리 급해도 견딜 수 있는 선은 지켜줘야 한다.

"짐을 최대한 줄인다. 탄약과 수류탄, 기본적인 의약품, 물, 한 끼 식사만 더 챙겨라. 이번에 출발하면 도착할 때까지 휴식은 없다."

이를 악무는 대원들이 보였다.

피가 끓어서 당장 출발하고 싶은 마음, 힘겨운 상황에 놓였을 동료들이 안타까운 마음을 그렇게 표현하고 있었다.

"식사해."

고개를 끄덕여 답을 한 대원들이 빠르게 자리를 잡았다.

쩔걱. 쩔걱.

강찬은 제라르에게 지금 내용을 다시 전해 주었다.

"식사하십시오."

대원이 가져다준 씨-레이션이었다.

강찬과 제라르, 우희승은 소총을 오른쪽에 걸고 서서 주먹밥을 입에 넣었다.

우걱우걱.

루카의 그 넓은 지역에서 어디에 있을지 모를 핵미사일 발사장치를 찾거나 파괴해야 한다.

밥을 씹으며 강찬은 다시 한 번 강철규와 606 특임대가 있는 쪽을 보았고, 이어서 증평의 특수팀이 있는 곳을 둘러보았다.

부스럭.

두 번이다. 주먹보다 조금 큰 주먹밥을 단 두 번 만에 입에 넣은 강찬이 빠르게 밥을 씹었다.

이런 생활? 지겹게 해 봐서 정말이지 더 하고 싶지 않다.

그런데 강한 대한민국, 송창욱이 바라고, 황기현이 꿈꾸던 대한민국을 만들기 위해서 누군가는 반드시 해야 할 일이었다.

"제라르, 내가 다예와 앞을 맡는다. 뒤편을 맡아. 중간에 최종일과 강명구를 세우겠다."

"Oui."

강찬은 비닐 팩을 꺼내 물을 마셨다. 그러고는 앞쪽으로 움직였다.

"최종일! 강명구와 중간을 맡아. 내가 다예와 선두에 선다. 속도를 높일 테니까 중간에 문제가 생기면 바로 알려 줘."

"알겠습니다."

강찬은 가장 앞으로 나가 석강호에게 다가갔다.

몸뚱이가 그러지 말고 좀 천천히 가자고 신경질처럼 통증을 뿌려 댔다.

"가자."

"알았소."

출발이다.

강찬을 따라 석강호가 움직였고, 그 뒤로 대원들이 이어졌다.

루카에 있을 적의 숫자는 이미 잊었다.

특수팀은 원래 이런 거 아닌가? 소수 정예로 적이 상상조차 못하는 위력을 발휘하는 거.

비무장팀도, 606도 알아서 처리하겠다고 했다.

믿는다. 믿기 때문에 함께 온 대원들이다.

부슈우웅! 퍼억! 부슝! 퍼벅! 부슝! 퍼억!

저격수들이 아예 목숨을 내놓다시피 기관총 사수들을 잡았다. 이미 지난 작전들에서 산전수전 다 겪어서 굳이 독촉할 필요도 없었다.

푸슝! 푸슈슝! 푸슝! 푸슝! 푸슈슝!

코앞이다.

기관총에 의지해 밀고 올라온 적이 10미터 앞에 있었다.

검은 군복을 입고, 대가리에까지 시커멓게 두건을 뒤집어쓴 적이 눈 바로 앞에서 달려든다.

푸슝! 푸슝! 푸슝! 푸슝! 푸슝!

쏴도 쏴도 적은 줄어들지 않았다. 오히려 조금씩 거리를 좁혀 가며 악착같이 비탈을 올라오고 있었다.

지옥의 맨홀 뚜껑이 느닷없이 열려서 그리로 튀어나오려는 악귀들이 어떻게든 붙잡으려고 손을 뻗는 느낌이었다.

투두두둑! 투둑! 푸슈슝! 푸슝! 푸슈슝!

철컥!

"탄창 교환!"

차동균은 악을 쓰며 탄창을 제거했다.

마음이 급했다. 이 짧은 틈에 그의 앞으로 적이 밀고 오는 거다.

철커덕!

푸슝! 푸슝! 푸슝! 푸슝! 푸슝!

차동균이 앞의 적을 쏘아 댈 때였다.
"탄창 교환!"
곽철호의 고함이 들렸다.
차동균은 소총의 방향을 틀었다.
푸슝! 푸슝! 푸슝! 푸슝!
그리고 직전에 곽철호가 그랬던 것처럼 그의 앞을 지켜 주었다.
푸슝! 푸슝! 푸슝!
탄창을 교환한 곽철호가 총을 쏘아 대는 순간이었다.
"인샬라!"
적이 차동균의 바로 앞에 있었다.
푸슝! 푸슝!
놈의 가슴에 소총 2발을 갈겨 준 순간이었다.
화악! 와락!
두 놈이 그 뒤에서 달려들었다.
소총을 쏘기는 늦었다. 한 놈을 잡는 순간에 다른 놈에게 당할 거리인 거다.
'개새끼들아!'
스웅!
차동균은 바로 발목에서 대검을 뽑아 들었다.
'그동안 이런 거 숱하게 보고 배웠다니까!'
콰악! 푸욱!

뛰어든 적의 멱살을 쥐며 목에 대검을 꽂았고, 이어서 놈을 방패처럼 돌렸다.

푸슝! 투두둑! 투두두둑! 푸슝! 푸슝! 푸슝!

1차 저지선이 무너졌다.

"앞쪽만 막아!"

피윳! 푹! 푹! 푹!

2차 저지선에서 엄호사격을 해 주고 있다는 게 유일한 위로였다.

최선을 다한다. 죽음 따위 두렵지도 않다.

강찬처럼, 강찬이 했던 것처럼 대검을 들고 적과 마주칠 뿐이었다.

"물러나지 마! 앞쪽만 막으면 돼!"

투두둑! 퍼버벅! 투둑! 투두둑!

적의 사격과 돌격이 이어지는 가운데,

부슝! 퍼억! 부슝! 퍼억! 부슝! 퍼억!

저격수들이 악착같이 차동균을 지켜 주고 있었다.

'나는!'

티잉!

차동균은 저격수가 적을 쓰러트린 틈을 노리고 수류탄의 안전핀을 뽑았다.

'이런 것도 배웠다니까!'

홱!

차동균이 수류탄을 던지고,

피윳! 피윳! 피윳!

세 번의 칼질을 더 하고 난 다음이었다.

콰으으웅!

10미터쯤 아래에서 커다랗게 폭발이 있었다.

티잉! 티잉!

차동균만 배우나?

곽철호도 머리가 있고, 눈이 있고, 손이 있다.

홱! 홱!

투두둑! 부슝! 부슝! 푸슈슝!

각종 총소리가 뒤엉킨 틈이다.

콰웅! 콰으웅!

두 번의 커다란 폭발이 있었다.

'이거다!'

차동균은 언젠가 아프가니스칸의 폐가에서 적을 물리칠 때가 떠올랐다. 기선을 제압당한 적들이 기껏 밀고 왔던 폐가를 도망쳐 갈 때 말이다.

푸슈슝! 푸슈슝! 푸슈슝! 푸슈슝!

적들이 춤을 추는 것처럼 흔들리며 쓰러졌다.

숨소리마저 들릴 만큼 코앞이다.

두건 사이에서 빛나는 적의 눈동자가 차동균의 시선에 들어왔다.

놀라움! 억울함! 그리고 차동균을 죽이고 싶은 욕망!

비탈의 아래로 넘어가는 적이 마지막 순간까지 차동균을 노려보며 손을 허우적거렸다.

함께 지옥으로 가자고?

개새끼야! 그런 거 하나도 안 무서우니까!

귀신이 돼서 덤비든, 유령이 돼서 괴롭히든, 하고 싶은 짓은 얼마든지 해라.

아무리 네놈들이 지랄을 떨어도 우리가 막아선 곳을 넘을 수는 없다.

대장이! 대한민국이 내게 맡긴 소중한 임무라서 너희는 절대로 이곳을 못 넘어가!

푸슝! 푸슝!

차동균은 손을 버둥거리는 적을 향해 방아쇠를 당겼다.

⚜ ⚜ ⚜

야트막한 산이다.

강철규는 벌써 비탈을 내려와 바깥쪽으로 크게 돌고 있었다.

비무장팀이다. 원래 활동하던 장소가 언제고 저격이나 대검이 날아드는 그런 곳이었던 거다. 그래서 강철규나 대원들은 늘 저격에 대비해 움직인다.

적이 굳이 미사일을 갈겨 댄 것도 아마 저격용 총에 머리가 안 걸려서 그랬을 거다.

 눈끝을 타고 흘러내리는 피에 아랑곳하지 않고, 강철규는 맞은편의 산을 올라갔다.

 부서지는 흙? 웃기지도 않는다.

 비탈을 올라가던 강철규가 동작을 멈추고 앞을 노려보았다.

 저격용 총을 앞에 둔 적이 비무장팀이 있을 곳을 향해 미사일을 겨누고 있었다.

 멍청하기도 하다! 이렇게 가까이서 나타나면 어떻게 할 건데?

 미사일을 쏜다고? 가슴에 멍들게?

 와라락!

 강철규는 발걸음 소리를 울리며 저격수에게 달려들었다.

 휙!

 놀란 저격수가 미사일을 강철규에게 돌린 순간이었다.

 타악!

 강철규는 파리 쫓듯 미사일을 밀어냈다.

 삐이이이이융!

 미사일이 비탈을 타고 아래로 날아갔고,

 쿠으으으응.

 엉뚱한 곳에서 커다랗게 터져 나갔다.

콰악! 콰작!

강철규는 달려들던 속도를 이용해 저격수의 목을 움켜쥐었고, 무릎으로 적의 가슴을 짓이겼다.

"큭! 크흑!"

가장 오른편에 있던 놈이다. 그래서 이놈을 잡으면 이 산으로 올라오는 길이 뚫린다.

적을 벌렁 뒤집은 강철규가 무릎으로 놈의 팔을 눌렀다.

피식.

강철규는 대검을 들어 적의 오른쪽 눈에 찔러 넣었다.

"끄아아악! 아아아악!"

그드드득!

그가 왼쪽 눈으로 대검을 당기자 지옥에서나 들릴 법한 비명이 울려 나왔다.

미사일 갈긴 땐 좋았지? 다른 놈들처럼 폭발할 때 시커멓게 타 죽을 줄 알았던 거지?

"끄아아아아! 끄아아! 끄아아아아!"

비명을 좀 더 질러 줘야 돼! 그래야 네놈과 한편이 겁을 집어먹고, 우리 애들이 움직이는 소리가 숨겨지거든.

"끄아아아아아아!"

목소리가 갈라져서 좀 더 처절하게 들리는 비명이었다.

버둥버둥.

강철규의 무릎에 깔린 적이 온몸을 비틀었다.

그래! 그렇게 조금만 더 애쓰자!

강철규는 놈의 왼쪽 귀를 향해 대검을 조금씩 움직였다.

"끄아! 끄아아아아!"

왜 가족을 버려야 했는지 알아?

왜 우리가 이렇게 잔인해졌는지?

우린 힘없는 대한민국을 맨몸으로 지키며 살았거든!

그래서 이렇게라도 하지 않으면 절대로 살아남을 수가 없었거든.

"끄으으으으!"

여기서 고통이 줄어들거나 더 가해지면 놈은 기절한다.

강철규는 적의 목을 비틀어 의식을 잃지 않게 깨웠다.

"끄아! 끄아아아!"

잔인하지?

그런데 말이다. 강찬이 부탁한 일을 망치려고 하는 놈이 나오면, 내가 강찬을 위해 하려는 일을 막아서면, 난 이보다 천 배쯤 더 잔인해질 거다.

강찬이 만들려는 대한민국은 그 정도로 강할 거니까.

그드득!

강철규의 대검이 적의 귀에 다 닿았을 때쯤이었다.

"끄아아아!"

"끄으으으으!"

멀리서 비명 2개가 들렸다.

피식.

고생했다!

강철규는 피와 끈적한 진액이 한데 뒤엉킨 적의 대가리를 세차게 돌렸다.

으드득! 털썩!

"끄아아아악! 끄아아악!"

비명은 다른 곳에서도 들렸다.

강철규가 고개를 뒤로 틀었을 때였다.

"병철입니다."

비무장팀 대원이 사납게 눈을 번들거리며 나타났다.

"이거 치워라."

"알겠습니다."

전에도 이랬다. 나무에 모가지를 거는 일까지 강철규가 직접 하지는 않았던 거다.

남일규는 적의 귀를 뚫고 찔러 넣었던 대검을 턱을 향해 당겼다.

끄드드득!

"끼이이이! 끄으으으!"

그러게 왜 우릴 상대로 나와?

왜 부원장님이 지시한 일에 대항해?

보고도 몰라? 미국에, 러시아에, 중국에 고개 숙이던 대한민국이 아니라니까!

털썩!

남일규의 대검이 턱에 닿을 때쯤 적의 숨이 끊어졌다.

개새끼! 이제 서울 구경해야지?

남일규는 대검을 적의 목에 가로로 댔다.

서거억! 서거걱!

양동식은 독이 오르면 이상하게 입술이 얇아지면서 꽉 다문 앞니가 나온다.

밤에 그것이 얼마나 위험한 일인지 들었지만, 그게 눈이 뒤집히면 조절이 되질 않았다.

이 개새끼들, 어! 부원장님께서 지시한 일을, 어!

이 씨발 새끼들이! 비무장왕이 직접 나섰는데, 어!

"끄어어어억!"

귀를 뚫었던 대검을 뽑아낸 양동식이 적의 목에 대검을 걸쳤다.

스걱. 스거걱.

"커륵! 커헉!"

뿜어진 적의 피가 양동식의 얼굴에 튀고 가슴을 적셨지만, 상관없었다.

강철규가 분명하게 '우리 방식대로 응징'이라고 했었다.

너희는 모른다. 비무장팀 방식대로의 응징이 얼마나 잔인하고 처절한 것인지.

이렇게라도 하지 않으면 초소의 아군을 지켜 내지 못하고, 동료와 내가 살아남지 못했던 지난 세월을.

규칙 하나만 지키면 된다. 강철규만 눈과 눈 사이를 그을 수 있다는 것.

뭐, 프로 야구에서 영구 결장 번호쯤 되는 거 아니겠냐?

스거걱!

양동식은 잘린 적의 대가리를 집어 들었다.

이렇게 적의 대가리를 나무에 묶는 걸 남일규는 꼭 서울 구경이라고 불렀다.

"끄아아아아아아!"

멀리서 또 비명이 들렸다.

양동식은 흘끔 먼 산을 바라보았다.

'후배들은 잘하고 있나?'

하여간 오늘은 이상하게 잡생각 많이 드는 날이다.

악어를 생각하면 딱 맞을 거다.

스르륵. 스륵.

정원민과 대원 10명이 기어서 물로 들어갔다.

요즘 소총은 물에 들어가도 작동에 지장 없다.

눈은 물 위만 살핀다.

오늘처럼 달빛이 밝은 밤에 사람의 눈빛이 얼마나 멀리

서 보이는지 안다면 위를 바라보는 바보짓은 절대 못하는 거다.

철벅. 철버벅.

물이 팔을 적시고, 어깨를 삼켰으며, 배를 파고들었다.

비릿한 물 냄새, 꾸리꾸리한 흙냄새가 코를 파고들었지만, 이 정도면 감사한 수준이었다.

부슈웅! 푸슝! 푸슈슝! 푸슝! 부슝! 푸슈슝! 푸슝!

저 아래에서 대원들이 악착같이 적의 시선을 빼앗고 있었다.

몸뚱이를 가릴 언덕에 바짝 붙어 기어서 움직였다. 적이 처박힌 산에서 훨씬 벗어난 강 위쪽으로 말이다.

코로, 입으로 진흙이 파고들고, 강가에 사는 벌레들이 눈으로 달려들었으며, 목 뒤에 달라붙어 피를 빨아 대도 그렇게 기어서 전진했다.

찰박. 찰박.

물에 몸이 잠기도록 엎드려 강을 건너던 정원민은 다리를 뻗어 몸이 떠내려가지 않도록 버텼다.

"푸우."

조심스럽게 숨을 쉬고, 최대한 고개를 물에 넣었다.

철벅. 철버벅.

수중 카메라로 물의 경계선을 찍는 것처럼 걸음을 옮길 때마다 물 밖과 물속이 번갈아 가며 보였다.

지겹도록 느리게 움직인다. 이런 인내가 적을 잡을 최고의 방법인 거고, 이런 자세는 끊임없이 반복되는 훈련에서 나온다.

찰박. 찰바박. 찰박.

물살이 세졌다. 그리고 그 순간, 갑자기 바닥이 푹 꺼지며 정원민은 물속으로 빠져들었다.

정원민은 눈을 뜨고 물속을 똑바로 노려보았다.

차르륵. 차르르.

죽음처럼 시커먼 강 속에서 흙과 알기 어려운 자질구레한 것들이 강물을 따라 눈앞을 스쳐 갔다.

정원민은 천천히 걸음을 옮겼다. 떠내려가다 익사하는 한이 있어도 작전을 망칠 수는 없는 거다.

숨 막히지 않냐고? 정말 죽고 싶었던 훈련에 비하면 이 정도는 양반이잖아?

최철한이 보고 있을 거다. 이 전투에 그렇게 참가하고 싶어 하던 그놈이.

주먹밥 먹다가 허무하게 쓰러진 그놈이 그토록 바라던 전투.

찰박. 찰박.

정원민의 이마가 강 위로 올라왔다. 그런 다음, 눈이 먼저 나왔고, 잠시 후에야 코가 올라왔다.

강의 중심을 지나온 참이다.

정원민은 다시 허리를 구부리며 앞으로 나아갔다.

강찬의 뒤를 석강호가 한 몸처럼 받쳤다.
그냥 달리는 거 아니냐고?
앞을 맡은 대원은 절대 그럴 수가 없다.
그래서 강찬은 소총을 겨누다시피 한 자세로 빠르게 나아갔다.
식사를 하면 꼭 20분을 쉬던 것도 무시하고 전진하는 길이다.
얼추 1시간 넘게 전진한 다음이었다. 강찬은 눈앞에 놓인 산을 노려보았다.
야트막한 산이다. 바로 올라가는 것보다는 산을 돌아서 가는 것이 좋아 보였다.
강찬은 산을 돌아가는 길을 날카롭게 살폈다. 그런 다음 석강호를 빠르게 돌아보았다.
강찬은 오른손을 높다랗게 들어서 한 바퀴를 돌린 다음, 자동차 와이퍼처럼 천천히 좌우로 흔들었다. 소리 내지 말고 좌우로 몸을 감추라는 뜻이다.
대원들이 빠르게 좌우로 흩어졌고,
부스럭.
석강호가 강찬의 옆으로 다가왔다.
강찬은 고갯짓으로 산의 옆길을 가리켰다. 석강호가 눈살을 찌푸려 가며 산길을 살핀 다음, 불쑥 시선을 가져왔다.

'흔적이요!'

강찬은 고개를 끄덕였다. 저건 분명 사람이 만든 흔적이었다.

강찬은 다시 손을 들어서 새끼손가락만 위로 뻗었다.

잠시 후다.

부스럭.

제라르가 강찬의 뒤로 다가왔다.

당연하게 강찬이 산길을 가리켰고, 제라르가 번들거리는 시선을 가져왔다.

강찬은 검지와 중지로 눈을 가리킨 다음, 제라르에게 왼쪽, 석강호에게 오른쪽을 가리켰다.

간단한 거다. 왼편에서 대원들을 공격할 것은 제라르가, 오른편은 석강호가 맡는다.

강찬이 좌우를 보고 고개를 끄덕이자 석강호와 제라르가 날렵하게 몸을 움직였다.

후욱. 후욱.

강찬은 곧바로 산을 타고 올라갔다.

'어떻게 그런 걸 한눈에 알아보는 거요?'

석강호도 제라르도 비슷한 질문을 했었다.

난들 알겠냐? 그냥 눈에 띄는걸?

그렇게 답을 했었다. 그런데 그게 솔직한 답이었다.

어떻게 그렇게 악착같이 달릴 수 있느냐고 묻는 거랑 전혀 다를 게 없는 거다.

강찬은 산을 천천히 올라갔다.

후욱. 후욱.

정말 얕은 산이다. 그래서 위로 올라서는 데 오래 걸리지도 않았다.

꼭대기에 올라간 강찬은 천천히 산 너머를 살폈다.

염병!

커다란 간이 막사만 6개가 넘었다.

외곽에 경계까지 세워 두었는데, 산속에 있다고 하기엔 어리둥절할 만큼 편평하고 넓은 공터였다.

강찬은 천천히 좌에서 우로 다시 살폈다.

산에서 막사까지는 족히 200미터는 넘었다. 이 정도면 여기까지 경계를 세우지는 않는다. 실제로 막사의 외곽에 경계병이 있는 것을 보아서도 산 위에 굳이 경계병을 세우지는 않은 것 같았다.

그래도 확인하는 게 좋았다. 강찬은 잠시 시간을 들여서 의심쩍은 곳을 확실하게 살폈다.

조사가 모두 끝난 다음이다.

치잇.

"전 대원, 앞쪽 산으로 올라온다. 다예, 위로 올라오고."

강찬은 마지막에 프랑스말로 제라르도 불렀다.

바스락. 바사삭.

석강호와 제라르, 대원들이 모두 강찬의 주변에 몰려들었다.

"강명구, 대원 3명을 뒤, 좌우에 배치해."

강명구가 손짓을 하자 대원 셋이 조용하게 움직였다.

강찬은 일단 지도를 펼쳤다.

"이곳쯤이거든."

그러고는 손가락으로 지도의 한 곳을 찍었다.

"606은 이곳에서 막혔고, 비무장팀은 이곳에서 공격당했다."

강찬이 있는 곳보다 뒤에 떨어진 곳이었다.

"저놈들은 우리가 이동하는 경로를 위성으로 확인했었다고 들었다. 원래대로라면 전투기로 우릴 잡으려고 했었는데 그게 깨지니까."

강찬은 원래 대테러팀이 이동하려는 경로를 손으로 길게 그렸다.

"그렇다면 우리를 막기 위해 이쪽에서 적이 기다리고 있겠지. 우리가 워낙 크게 돌아가니까 저쪽에서 아무리 빨리 움직인다고 해도 같은 시간에 출발했다면 여기쯤 도착했을 거다."

"그래서 우리만 아직 적을 만나지 못한 거구려."

"그렇게 볼 수 있지."

강찬은 적의 막사를 힐끔 쳐다본 다음, 다시 입을 열었다.

"여기서 보면 저놈들은 이곳에 아군이 도착하지 못하게 미리 길목을 막고 서 있었던 거다. 그렇다는 건 저기 뭔가가 있다는 건데?"

"미사일이 있는 것 같지는 않소."

강찬은 고개를 끄덕였다.

"일단 저놈들을 잡는다. 저격수 준비하고, 나하고, 다예, 제라르, 정원민, 그리고 최종일, 우희승, 대원 8명이 더 내려간다."

석강호와 강명구가 고개를 끄덕인 다음이었다.

"막사별로 2명씩 움직인다. 경계병 잡고, 위치 잡았다가 신호와 동시에 수류탄 던지고 한 방에 끝내자."

강찬은 작전 내용을 제라르에게 다시 설명했다.

"제라르, 저기 왼편의 경계병 맡아. 다예, 너는 저 끝에 경계병, 내가 아래 경계병을 해결하겠다. 신호하면 남은 대원들 움직이고."

작전 설명은 끝났다. 막사마다 둘씩 다가가서 수류탄 까서 던지고, 놀라 깬 놈들에게 소총 갈기면 끝이다.

"이두범, 위험할 때 바로 지원할 수 있도록 저격수들과 위치 확보해. 이곳에 하나, 양쪽으로 나뉘어서 한 명씩."

"알겠습니다."

지시를 마친 강찬은 나무에 붙어서 아래를 내려다보았다.

달빛을 받은 막사가 평화로워 보이까지 했다.

그냥 이렇게 너희끼리 살아가면 되는 거 아니냐?

왜 좀 잘살아 보겠다는 나라에 지랄을 떨어서 여기까지 오게 하고 이 짓을 하게 하는 건데?

"저격수 배치했습니다."

강찬은 고개를 끄덕이고 뒤를 돌아보았다. 강명구와 대원 10명이 눈을 번들거리면 대기하고 있었다.

강찬은 2명씩 왼편부터 막사를 지정해 주었다.

"다예, 우희승과 마지막 막사를 맡아."

"알았소."

남은 것은 제라르다.

"제라르! 나랑 중간에서 지원한다."

"Oui."

강찬은 대원들을 쭉 둘러보고 앞으로 움직였다.

이제부터 제대로 시작인 거다.

강을 나온 정원민은 대원들과 함께 바로 산으로 들어갔다.

물먹은 군복에 달라붙었던 흙이 산을 올라가자 바닥으로 후두둑 떨어졌다.

사삭. 사사삭.

이건 쉽다. 대한민국의 산에 비하면, 늘 훈련하던 장소에

비하면 이 정도 산은 거저먹기인 거다.

산을 다 올라가는 데 20분쯤 걸렸다.

정원민은 허리에 로프를 감은 다음, 듬직한 나무에 한쪽 끝을 묶었다.

이렇게 하고 산을 달려 내려간다.

중심을 잃을 것 같거나 멈추고 싶을 때면 왼손을 당기면 되는 거다.

마지막으로 정원민은 무전기의 스위치를 다섯 번 연속 쥐었다가 놓았다. 아군의 사격과 엉기는 것을 막기 위해서였다.

저격수를 천천히 잡으려다가는 이쪽이 당한다. 대강 위치도 감 잡았다. 그러니 토끼몰이처럼 단숨에 달려 내려가며 끝장을 보는 거다.

쩔꺽.

오른쪽 어깨에 소총을 걸고 방아쇠에 손을 걸었고, 왼손에 로프를 잡았다.

정원민이 좌우를 둘러보며 대원들의 준비 상태를 살폈다.

'하나! 둘! 셋!'

와락! 와라라락!

쭈우우욱!

거의 비탈을 떨어지는 속도로 달려 내려가는 길이다. 정원민의 눈에 화들짝 놀라 고개를 돌리는 저격수가 들어왔다.

콰악!
바로 속도를 줄였고,
철컥!
재빠르게 소총을 겨눴다.
푸슝! 퍼억! 푸슝! 퍼억! 푸슝! 퍼억!
눈 사이가 짓이겨진 적의 대가리가 바닥에 꼬꾸라졌다.
푸슝! 픽! 푸슝! 퍼억!
다른 대원들이 있는 곳에서도 총소리가 터져 나왔다.
쭈우우우욱!
정원민은 다시 줄을 놓고 달려 내려갔다.
부슈웅! 파악!
저격수가 놀라서 총구를 돌린 모양인데.
푸슝! 푸슝! 퍼억!
정원민의 사격에 목을 뚫려서 버둥거렸다.
이런 사격은 너희가 절대 우릴 못 이겨! 저격수는 이런 훈련 받지도 않거든.
쭈우우우우욱!
정원민은 다시 아래로 달려 내려갔다.
철한아! 보고 있냐?
보고 있냐고?

제8장

버튼만 눌러

강찬은 대원들과 함께 아래로 움직였다.

부스스스. 부스슷.

부서지는 흙과 밝은 달빛이 문제였다. 그래서 150미터를 내려오는 데 25분이나 걸렸다.

남은 거리가 50미터쯤 되었을 때였다.

'어?'

경계병이 확실하게 눈으로 확인되는 순간에 강찬은 고개를 갸웃했다.

쿠드스다. 복장, 서 있는 자세만 보아도 이놈들은 분명하게 쿠드스가 맞다.

강찬은 올라오던 길을 향해 몸을 돌린 다음, 무전기에 대고 속삭였다.

치잇.

"어떻게 된 건지는 모르겠지만, 적은 쿠드스다. 인원도 그렇고, 아마 증평 특수팀을 노리는 척하면서 이쪽에 자리 잡은 것 같다. 진입할 때 좀 더 주의해."

강찬은 다시 프랑스어로 반복해서 무전을 보냈다.

'이 새끼들이 여기 죽친 걸 보면 분명 여기 뭔가 있는 건데?'

강찬은 좌우를 둘러보며 연락이 오기를 기다렸다.

5분쯤 지났을 때였다.

치잇.

[준비됐소.]

석강호의 무전이 먼저 들어왔고,

치잇.

[준비됐습니다.]

제라르와 함께 있는 최종일의 무전도 들어왔다.

석강호와 제라르라면 세상 누구보다 이런 일을 믿을 수 있다.

치잇.

"작전 시작한다. 준비가 끝나면 무전기 버튼만 눌러."

강찬은 다시 얼마 남지 않은 산을 내려갔다.

시간이 많이 걸린다. 그래서 마음이 급했다.

그렇지만 이런 작전에서의 조급함은 아군의 희생을 대가로 지불하게 한다.

부스슥.

강찬은 발의 옆 부분으로 계단을 만드는 것처럼 아래로 내려갔다.

내려가는 것이 문제가 아니다. 매번 적의 동태를 살피는 것이 더 중요하다.

부스스스.

산을 거의 내려온 지점이었다. 강찬은 적을 살피다가 시선이 돌아갈 때쯤 한 걸음씩 내려왔다.

저것들이 쿠드스가 아니라면, 그냥 UIS 민병대라면 아마 벌써 이마를 갈겨주고 뛰어들었을 거다.

그런데 이놈들은 그럴 정도로 만만한 놈들이 아닌 거다.

15분이 더 걸린 다음이었다.

5미터쯤이 남았다.

치잇.

무전으로 신호가 들어왔다. 적어도 한쪽은 준비됐다는 뜻이다.

강찬은 먼저 뒤따르던 대원들을 향해, 검지와 중지로 바닥을 찍어 보였다. 제자리를 지키라는 뜻이다.

그러고는 최종일을 보고 오른쪽에 있는 경계병을 가리켰다.

최종일이 고개를 끄덕인 다음이었다. 강찬은 천천히 왼편으로 움직이며 아래로 내려갔다.

대원들이 긴장한 채로 경계병을 노려보는 동안, 강찬은 조심스럽게 적에게 다가갔다.

뜬금없는 소리지만, 이런 경험은 정말 아래로 내려간다.

이렇게 긴장된 순간을 이겨 낸 대원들의 경험은 거짓말처럼 훈련에서 나타나고, 이 작전에 참가하지 않은 대원들에게 8할 이상 전해지는 거다.

달빛, 눈앞에 선 경계병, 그리고 그 뒤에 덩그러니 놓인 막사들.

숨 한 번 쉬는 것조차 조심스럽고, 아차 하는 순간에 적과 교전이 일어나는 상황이 주는 긴장감만큼 확실한 훈련은 없다.

후욱. 후욱.

마침내 강찬이 자리를 잡았다.

시선을 돌린 강찬은 최종일을 향해 고개를 끄덕인 후에 발목에 걸어 두었던 대검을 뽑아 들었다.

아직 한 팀의 신호가 오지 않았다. 강찬은 대검의 날을 잡고 신호를 기다렸다.

뒤에 선 대원들은 총을 겨누고 있었다. 신호를 주지 못한 팀에서 사고가 터지면 이대로 밀고 들어가야 하는 거다.

죽음처럼 무거운 침묵을 견뎌 내고 있을 때였다.

치잇.

마침내 기다리던 무전이 들어왔다.

강찬은 무전기 버튼을 손에 쥐었다.

치잇. 치잇. 치잇.

셋을 셌다.

치잇. 치잇.

당연하게 다음은 둘이다.

강찬은 해결해야 할 적의 목을 노려보았다.

치잇!

퍽! 홰액!

버튼을 누르는 것과 동시에 강찬과 최종일이 대검을 던졌다.

와락! 와라라락!

그리고 쥐를 덮치는 고양이처럼 튀어 나갔다.

콰악!

강찬은 '꾸륵' 소리를 내며 비틀거리는 적의 목을 세차게 돌렸다.

으드득!

최종일은 조금 달랐다.

투둑.

목에 박힌 대검으로 아예 울대를 끊어 버렸다.

피시시시이이이!

피가 분수처럼 튀어서 최종일의 얼굴과 앞가슴을 적셨는데 다행히 소리는 나지 않았다.

 이것도 경험이다. 자신 없는 상태에서 굳이 목을 돌리려 하지 않는 것.

 가장 잘할 수 있는 방법으로 적을 제압하는 것이 말이다.

 경계병은 완전히 해결했다.

 강찬은 허공에 든 손을 한 바퀴 돌린 다음, 적의 막사를 가리켰다.

 부스럭. 부스슥!

 대원들이 자세를 잔뜩 낮춘 상태에서 각자 맡은 막사를 향해 움직였다.

 후욱. 후욱.

 강찬은 막사의 중간을 향해 움직였다.

 1분쯤 지나자 모든 막사의 입구 양쪽에 대원들이 서 있었다.

 부스럭.

 그리고 그때 제라르가 강찬의 곁으로 다가왔다.

 치잇.

 강찬이 무전기를 누르자 대원들이 수류탄을 꺼내 들었다.

 입으로, 반대쪽 검지로, 대원들이 안전핀을 제거했다.

 준비가 모두 끝났다.

 잘 자라. 이대로 영원히!

치잇.

강찬이 마지막으로 무전기 버튼을 누른 직후였다.

퓍! 퓍! 퓍! 퓍!

대원들이 수류탄을 막사 안으로 던졌다. 그러고는 재빨리 새로운 수류탄을 꺼내 안전핀을 제거했다.

티잉! 티잉! 티잉! 티잉!

이제는 소리를 걱정할 때가 아닌 거다.

홰액! 퓍! 퓍! 홰액!

다 같이 뒤로 돌아서 잽싸게 몸을 숙였다.

쿠으응! 쿠웅! 쿠으으응! 쿠웅! 쿠으으응!

천으로 된 막사가 태풍을 맞은 것처럼 펄럭였고, 폭발음이 터질 때마다 바닥이 흔들렸다.

와락! 와라락!

대원들이 일제히 뛰어들었다.

푸슈슝! 퍼버벅! 푸슈슝! 퍼버벅! 푸슈슝! 퍼버벅!

수류탄의 살상 반경은 사실 그렇게 크진 않다.

10에서 15미터라고 하는데, 적이 바글바글 몰려 있을 때면 6명에서 10명을 잡는 게 고작일 때도 있다.

대신 잘 자고 있는데 옆에서 수류탄이 연달아 터지면 당장 귀청이 견디질 못한다.

다음으로 멍한 상태에서 3점사로 사격이 날아들면?

인생 끝나는 거다.

소리만 들어도 안다. 어느 한 곳에서도 적의 반격이 없는 것만 들어도.

 '염병! 이건 사람이 할 짓이 아니네.'

 대원들과 함께 막사로 뛰어들고 싶었다. 그래서 혹시 있을지 모를 최소한의 위험을 제거하고 싶었다.

 하지만 이런 작전에서 가장 중요한 건 전체 지휘다.

 6개 막사 어디에선가 문제가 일어나면 당장 지원할 2명 정도는 있어야 하는 거다.

 강찬이 갑갑한 심정을 번들거리는 눈빛으로 억누르고 서 있을 때였다.

 치잇.

 [이쪽은 끝났소.]

 역시 석강호가 가장 빠르게 연락이 왔고,

 치잇.

 [상황 끝입니다.]

 강명구의 무전이 들어왔다.

 푸슝! 푸슝!

 건너 건너에 있는 막사에서 뜬금없는 소총 소리가 울려 나왔다.

 확인 사살일 거다.

 제라르가 강찬을 보며 어깨를 으쓱해 보였다.

 '예상보다 정말 잘하는데요?'

하는 표정이었다.

3분쯤 지난 뒤에 상황이 모두 끝났다.

치잇.

"다예! 그쪽 끝부터 확인하며 넘어와!"

무전을 보낸 강찬은 강명구를 돌아보았다.

"대원 넷 데리고 여기서부터 저 끝까지 확인하고 와. 한 발을 더 쏘더라도 미심쩍은 부분 남기지 말고."

"알겠습니다."

강명구가 대원들과 함께 막사로 움직였다.

철컥거리는 소리, 막사 펄럭이는 소리, 이따금 '푸슉!' 하는 소총 소리가 들려온 다음이었다.

쩔걱. 쩔걱.

석강호가 전혀 거리낄 것 없는 자세로 강찬에게 다가왔다. 그리고 손을 내밀었다.

담배였다. 그것도 세 갑이나.

치사한 새끼, 죽은 놈 담배를 들고 와?

그래도 버리는 것보다는 낫겠지?

강찬은 피식 웃어 주고 왼편으로 고개를 돌렸다. 마지막 막사까지 확인을 마친 강명구가 빠르게 다가오고 있었다.

"일단 철수."

강찬은 대원들을 이끌고 내려왔던 산을 20미터쯤 거꾸로 올라갔다.

털썩.

강찬은 엉덩이를 비탈에 대고 주저앉았다. 석강호와 제라르가 주변에, 대원들이 알아서 넓게 퍼졌다.

석강호가 자꾸만 강찬의 눈치를 살폈다.

"아프리카와는 달라. 저 산을 넘어가기 전에 담배는 힘들어."

"누가 뭐랬소?"

이놈은 영리해지는 만큼 교활해지는 느낌도 든다.

치잇.

"이두범! 대원들 챙겨서 내려와."

치잇.

[알았습니다.]

무전을 마친 강찬은 저 멀리 있는 맞은편의 산을 보았다.

"그런데 우리 애들이 뛰어난 거요? 아니면 저 새끼들이 맹탕인 거요? 이건 너무 쉬워서 맥이 빠지는 느낌이오."

강찬은 저 아래 펼쳐진 막사를 내려다보며 픽 하고 웃었다.

대원들이 모른 척하면서도 강찬의 답을 기다리고 있었다.

"그동안 워낙 기습을 당해서 그렇지, 실력만 놓고 보면 세계 어느 팀에도 안 빠지잖냐."

석강호가 고개를 끄덕였다.

저 산을 넘어가면 루카가 나온다.

또 걷는다고? 지금?
몸뚱이가 화들짝 놀란 것처럼 통증을 뿌려 댔다.

강철규는 산의 꼭대기에서 앞을 노려보았다.
흙이 달라붙은 얼굴에 피가 엉겨 붙었다. 거기에 눈빛이 어찌나 번들거리는지 다시는 돌아보고 싶지 않을 만큼 험악한 인상이었다.
"먼저 간 대원들은 잘 보내 줬습니다."
남일규가 강철규의 뒤로 나타나 건넨 말이었다.
리비아에서처럼 이 머나먼 아프가니스탄에서 또다시, 또 다른 동료들을 떠나보냈다.
"일규야."
"예, 선배님."
감정이 담기지 않은 짧은 부름이었다.
남일규가 바싹 긴장한 얼굴로 나직하게 답을 했다.
"동식아."
강철규가 다시 양동식을 불렀다.
"예."
두 사람이 강철규의 뒷모습을 바라볼 때였다.
"고맙다."
강철규가 뒤를 돌아보며 말을 건넸다.
강철규다.

세상 누구보다 강한 남자, 그 어떤 적과 마주쳐도 절대로 지지 않을 비무장팀 지휘관.

　그런 그가 지금까지 단 한 번도 꺼내지 않았던 말을 대원들에게 전하고 있었다.

　느닷없이, 지금껏 하늘처럼 든든하게 감싸 주던 스승의 늙은 모습을 한꺼번에 보는 느낌이었다.

　대원들을 잃은 강철규의 슬픔을 그대로 들여다본 것 같기도 했다.

　정말은 저렇게 아파했으면서, 그동안 단 한 번 내색하지 않았던 강철규다.

　혼자서, 누구에게도 털어놓지 않았던, 저 속이 얼마나 아팠을까?

　순간, 남일규와 양동식, 그리고 주변에 있던 대원들의 눈시울이 붉게 물들었다. 울컥 올라오는 감정을 이기지 못한 탓이다.

　"선배님, 지금껏 살아 있는 게 모두 선배님 덕분입니다. 이 길의 끝에 어떤 어려움이 있더라도 저는 선배님을 따르는 이 길이 행복합니다."

　차마 붉어진 눈을 보일 수 없어서, 고개를 떨구었던 양동식이 힐끔 남일규를 보았다.

　'씨발.'

　그는 끓어오르는 감정을 표현할 한 단어를 꿀꺽 삼켰다.

남일규처럼 표현하고 싶지만, 떠오르는 게 그 한마디인 걸 어쩌겠나.

이 개새끼들이 우리 강 선배를 이렇게 힘들게 해?

너희는 내가 전부 모가지를 따서 서울 지나 수원까지 구경하게 해 줄 거다!

양동식이 이를 악물었을 때였다. 강철규가 그의 각오를 다 짐작한다는 것처럼 양동식의 어깨를 두드려 주었다.

봐! 이 새끼들아!

이런 선배란 말이야!

양동식은 좀 더 단단하게 이를 악물었다.

물을 건너왔다.

정욱이 팔을 다친 것이 전부였는데, 대신 적의 저격수 19명을 모두 사살했다.

철벅. 철벅.

강을 똑바로 건너온 정원민은 곧바로 최철한과 함께 눕혀져 있는 대원 2명에게 다가갔다.

먼저 최철한이다.

그의 앞에 한쪽 무릎을 꿇고 앉은 정원민이 물에 젖은 소매로 최철한의 피 묻은 코와 입가를 닦아 주었다.

스응.

정원민은 대검을 꺼내 들었다. 그러고는 전투복의 옷깃을 잘라 최철한의 코와 귀를 막았다.

지이익!

군화의 끈을 풀어서 가슴에 올려놓은 손도 묶어 주었다.

대원들이 눈빛을 번들거리며, 주변을 경계하는 틈이다. 정원민은 남은 대원들 둘도 그렇게 보내 주었다.

쩔걱.

몸을 일으키자 몸에 달린 권총과 탄창, 대검이 아직은 작전이 끝나지 않았다고 알려 주었다.

"우린 간다."

정원민이 나직하게 말을 건넸다.

달빛 아래에서 하얗게 변한 얼굴로 누워 있는 대원 셋이 대꾸도 없이 그의 말을 듣고 있었다.

"너희를 다시 못 찾을지도 모른다. 그렇더라도 너희 셋을 절대로 잊지 않으마. 내 군복이 내 인생의 마지막 옷이 될 때까지."

정원민이 세 사람에게 경례를 한 다음, 고개를 돌렸다.

독이 잔뜩 올라서 눈이 아예 시퍼렇게 보였다.

"전진한다. 속도를 좀 더 높일 테니까 앞쪽 경계 확실히 해라."

쩔걱. 쩔걱.

대원들이 이를 악문 채로 몸을 돌렸다.

아직 남은 임무가 있다. 그래서 지금은 감상에 빠질 때가 아니다.

606은 그런 거라고, 이런 임무를 맡는다고 배웠다.

푸욱!
적의 목에 대검을 찌른 다음 몸 쪽으로 당겼을 때였다.
"크르르륵!"
푸시시시시이!
적의 목에서 뿜어진 피가 그의 얼굴로 세차게 날아들었다.

차동균은 가슴이 철렁 내려앉았다.

이걸 원한 게 아니다. 대검으로 적을 당겨서 앞을 막으려고 했던 거다.

그런데 적이 목을 비틀면서 뼈에 걸려야 할 대검이 곧바로 튀어나온 거다.

차동균은 재빠르게 소매로 눈을 쓸었다.

피가 눈에 고여서 모든 사물이 붉게 뭉개져 보였다.

푸슝! 퍼억! 푸슝! 퍼억! 푸슝! 퍼억!

아군의 총소리와 동시에 그의 앞에 있던 적의 몸뚱이에서 살과 피가 튀는 소리가 들렸다.

보인다! 이제 보인다!

달빛이, 세상이 온통 붉게 물든 것처럼 보이긴 하지만, 그의 앞을 달려드는 적이 확실하게 보였다.

철컥!

그때 곽철호의 탄창이 비는 소리가 들렸다.

"탄창 교환!"

곽철호는 뒤로 물러났다. 그리고 빠르게 권총을 꺼냈다.

부슝! 부슈웅! 부슝! 부슝!

저격수들이 지켜 주는 틈이다.

푸슈슝! 푸슝! 푸슝! 푸슈슝!

2선의 아군도 미친 듯이 방아쇠를 당긴다.

타앙! 타앙! 타앙! 타앙! 타앙! 타앙!

차동균은 적을 향해 권총의 방아쇠를 계속해서 당겼다.

대단하다!

그런 생각을 하는 순간에 차동균의 몸에 소름이 쫙 끼쳤다.

강찬은 어떻게 대검 한 자루로 적을 그렇게 제압하고, 이렇게 밀릴 때는 권총을 꺼내 들었을까?

그도 지금의 차동균처럼 누군가에게서 보고 배웠을까?

지금 상대하는 적은 이상하게 아프리카에서 경험했던 쿠드스보다는 좀 말랑말랑한 느낌이었다.

푸슝! 퍼억! 푸슝! 퍼억! 푸슝! 퍼억 푸슝! 퍼억!

곽철호의 소총이 불을 뿜자 상황이 또 달라졌다.

'이리 와!'

차동균은 언덕을 기어 올라오는 놈의 멱살을 당겼다.

푸우우욱!
그러고는 뒷덜미에 사정없이 대검을 꽂아 넣었다.
어느 손가락으로 찔렀게?
갑자기 왜 그 생각이 들었을까?
차동균이 대검을 뽑아내자,
피시시시이이!
적의 목에서 피가 뿜어졌다.
다음 놈은?
차동균이 시선을 돌렸을 때였다.
불쑥.
저지선을 넘어서 AK소총이 넘어왔다.
목을 찔렀던 놈으로 막아야 했던 건데!
부슈웅! 퍼억! 투두두둑! 퍼버버벅!
적이 아래로 쏠려 내려갈 때 차동균은 뒤로 훌렁 날아가 엉덩방아를 찧는 것처럼 비탈에 부딪쳤다.
치잇.
"대위님 지켜!"
곽철호의 무전과 동시에 2선과 저격수가 아예 몸을 드러내다시피 사격을 가했다.
티잉! 팅! 티잉! 티잉!
저 새끼들, 수류탄을 아끼라니까!
차동균은 앞으로 떨어진 고개를 돌려 곽철호를 보았다.

수류탄을 던지고 소총을 갈기는 모습들이 비현실적인 화면처럼 눈에 들어왔다.
　콰으웅! 콰웅! 콰으웅!
　부스스.
　흙과 작은 돌가루들이 차동균의 몸에 떨어졌다.
　"쿨럭!"
　차동균이 기침을 뱉고 난 다음이었다.
　와락!
　곽철호가 달려들었다.
　"대위님!"
　그러고는 차동균의 상체를 안았다.
　짧은 침묵이 흐른 다음이었다.
　"뭐야? 방탄복 맞은 거로 그렇게 쓰러진 겁니까?"
　곽철호가 어처구니없다는 표정으로 차동균을 노려보았다.

　　　　⚜　　　⚜　　　⚜

　여유로운 표정의 라노크, 맞은편에서 차갑게 시선을 돌리는 바실리의 앞이다.
　셔먼은 홍차를 마시는 것으로 표정을 감췄다.
　달각.

그가 홍차 잔을 내려놓았을 때였다.

"이제 결정할 시간이다."

바실리가 정나미 뚝 떨어지는 말투로 입을 열었다.

셔먼은 라노크를 보며 입맛을 다셨다.

정보 세계라고 해도 사람 사는 세상이고, 사람이 하는 일이다.

눈앞에 있는 라노크가 로리암에 들어가면서까지 일을 진행한 것이 정말 계획된 일이었을까, 아니면 알아서 일이 이렇게 풀린 걸까?

"라노크."

셔먼이 두꺼운 안경 너머로 라노크를 바라보았다.

"다윗의 별을 이겨 낼 자신이 있나?"

바실리가 이제 와서 뭔 시답잖은 말을 하나 하는 표정으로 그를 노려보았다.

"아니면 자넨 정말 미스터 강이 우리 세계의 질서를 유지해 줄 수 있다고 믿는 건가?"

셔먼은 궁금해하던 두 가지를 꺼내 놓고 답을 기다렸다.

"다윗의 별이 금본위 화폐를 준비한 마당에 무슈 강이 극적으로 등장했고, 차세대 에너지를 현실로 이루어 낸 것."

라노크가 담담한 음성으로 입을 열었다.

"세계 전쟁을 계획했지만, 번번이 무슈 강에 의해 좌절된 것, 이 두 가지만 가지고도 무슈 강이 그들을 상대할 수 있다는 것을 인정해야지."

셔먼은 가면을 뒤집어쓴 것 같은 라노크의 표정에 압도당한 눈치였다.

"미국이 먼저 그의 가치를 알아차렸다면 어땠을까? 분명 한국을 쥐어짜서라도 데려갔을 것 같은데? 이 정도면 내 뜻을 분명하게 밝힌 것 같다."

"우리는 대통령의 의지를 존중해야 돼."

"셔먼, 미국만큼 실무 담당자의 의견을 반영하는 나라가 있나? 그러니 그런 핑계는 그만두고, 자네의 생각을 먼저 말해 주는 게 좋아."

셔먼은 지금의 라노크가 이전에 알고 있었던 것보다 훨씬 단호해졌다고 느꼈다.

셔먼이 머뭇거리며 홍차 잔을 내려다볼 때였다.

"새로운 금본위 제도를 미국이 받아들인 이유, 다윗의 별이라는 단체의 실체, 마지막으로 이번에 왜 미국이 다른 생각을 품었는지?"

바실리가 얇은 입술을 움직이며 말을 건넸다.

"그것들을 모른 상태에서 미국이 이런 모습을 꾸며 낸 것은 아니겠지? 북태평양에 있는 알리호에서 미사일이 날아가면 이런 시간이 의미가 없어져. 그러니 빨리 판단하는 게 좋아, 셔먼."

"그건 러시아의 책임이다."

"아니지."

셔먼의 항의를 바실리가 곧바로 패대기쳤다.

"너희는 그 미사일로 한국을 노렸어. 한국의 국가정보원과 무슈 강이 그 일을 막아섰기 때문에 미사일이 미국을 향하게 된 것뿐이다. 우리 앞에서 헛소리로 빠져나갈 생각은 안 하는 게 좋아."

"그렇더라도 러시아 핵탄두가 러시아 잠수함에서 발사되는 것에는 변함이 없어, 바실리."

바실리가 보란 듯이 고개를 저어 댔다.

"자네가 그따위로 나와 봐야 핵탄두가 떨어지는 곳이 미국이라는 것은 변함이 없어. 그리고 명심해라. 핵전쟁이 일어난다고 쳐도 러시아, 프랑스, 중국이 가진 핵미사일을 미국은 감당 못해."

단호한 바실리의 말이 떨어졌다.

잠시 침묵을 지키던 셔먼이 결심한 것처럼 고개를 들었다.

"이번 일에 대한 응징은 없을 것, 그리고 별도의 보상을 요구하지 말 것."

바실리가 먼저 '흥!' 하고 코웃음을 터트렸고, 이어서 라노크가 한쪽 입술을 살짝 움직였다.

"미국을 응징하기는 우리도 어렵다. 그러나 최소한의 보상은 있어야지. 특히나 이번 일로 많은 희생을 치렀던 한국에 대해서는."

"그 정도라면야……."

"시간이 얼마 없어, 셔먼."

라노크의 재촉에 셔먼이 커다랗게 숨을 내쉬었다.

"다윗의 별은 이미 미국의 많은 부분을 손에 쥐고 있다. 그래서 그들이 세계 경제를 얻기로 하고, 우리는 아시아, 그 중에서도 중국을 손에 넣는 것에 합의했었다."

말을 마친 셔먼은 두 사람의 반응을 보며 이들이 이미 그 부분까지 짐작하고 있었음을 알았다.

"다윗의 별은 미국……."

나올 만큼 나왔다. 그런데도 셔먼은 또다시 두 사람을 살핀 후에 어렵게 입을 열었다.

"연방은행(FRB)에서 만든 경제정보국(EII)을 중심으로 움직인다. 그 뒤까지는 우리가 짐작만 할 뿐이다."

바실리가 픽 하고 웃은 다음이었다.

"오해해서는 곤란해. EII는 우리의 통제를 벗어난 완전한 독립 단체다."

셔먼이 변명처럼 말을 꺼내 들었다.

"우리도 그들을 해결할 방법을 찾고는 있었는데, 문제는 미국의 경제와 정치를 그들의 보이지 않는 손이 완벽하게 쥐고 있는 데다, CIA나 심지어 DIA의 활동 내역까지 확인할 능력을 가진 상태라서 어떻게 할 방법이 없었다."

셔먼은 아예 홀가분해진 얼굴이었다.

"전쟁이 일어나면 군수용품과 건설에서 나오는 수익이 다시 그들에게 돌아간다. 거기에 월가의 파생 거래를 통해 발생하는 이익은 상상하기도 어렵다."

"미국의 의지는?"

라노크의 질문에 셔먼이 곧바로 입을 열었다.

"다윗의 별을 해결할 수만 있다면 최선을 다해 유럽정보국에 협조하겠다."

바실리가 묘하게 웃으며 라노크를 바라본 다음이었다.

"바실리, 알리호를 셧다운(Shut down)시켜라."

셔먼의 고개가 불쑥 들렸다.

"우리 러시아는 미국과 다르다. 모든 핵잠수함에 셧다운시킬 수 있는 장치가 있지. 이로써 우리는 알리호를 버린다. 이에 대한 보상은 해 줘야겠지?"

"물론이다, 바실리!"

셔먼은 감격한 얼굴이었다.

"다음은 로드차일드에 관한 문제인데."

라노크가 화제를 돌렸다.

"정보총국에서 내일 그들 가문의 주요 인사 13명을 제거하겠다."

충격적일 만큼 뜻밖의 내용이어서 셔먼은 바로 알아듣지 못하는 얼굴이었다.

"미국 정보국에서 제3국 핵잠수함을 격침한 것으로 발표해. 그리고 미국에 핵전쟁을 일으킬 계획을 세운 혐의로 로드차일드의 남은 인물들을 모조리 체포해라."

"라노크, 그들을 제거하고 체포한다고 해서 그들이 없어지지는 않아."

"스위스에 예치되어 있는 그들의 자금을 압류할 거다. 그리고 세계 전쟁을 일으키는 데 사용하려 했다는 명분으로 프랑스, 러시아, 독일, 그 외에 유럽에 투자되어 있는 그들의 자금 전체를 압류하겠다."

이렇게 무서운 사람이었나?

셔먼이 멍한 얼굴로 라노크를 보았다.

"이번 조치에 대해 미국이 항의하지 않는 조건, 그리고 미국법원과 국제법원이 반환 청구를 기각한다는 조건이다. 압류된 모든 금액의 30퍼센트는 해당 국가가 소유한다. 30퍼센트는 미국 정부에 반환, 나머지 40퍼센트는……."

규모가 얼마나 될지 상상도 안 되는 금액이었다.

셔먼이 마른침을 삼키며 라노크의 입에 시선을 주었다.

"한국에 지불한다."

"그런……."

"그 정도는 보상해야지. 이번 핵전쟁을 막은 무슈 강과 한국 국가정보원이다."

"다윗의 별에 속한 인물들은?"

셔먼의 질문에 바실리가 고개를 저었다.

"이번 재산 압류와 동시에 해당 국가에서 관련자 전체를 체포할 생각이다. 모두 종신형을 받을 거고, 가족들은 특별 관리 대상이 된다. 인권이니 뭐니 헛소리를 지껄일 거라면 여기에서 그만두는 게 좋다."

셔먼은 생각이 멈춘 사람처럼 보였다.

잠시 침묵이 흘렀다.

그동안 바실리는 보드카와 잔을 가져왔고, 라노크는 시가에 불을 붙였다.

"다윗의 별이 협박할 수 있는 가장 큰 무기가 자금 아닌가? 그 부분은 미국 몫으로 가져갈 30퍼센트로 충분히 감당할 수준이다. 이 정도면 훌륭한데?"

"EII는?"

"그거야 정말 미국이 알아서 할 일이지. 리비아에서 무슈강의 눈을 피해 빠져나간 요원 놈을 핑계로 써. 리바아 내전, 한국의 테러를 주관했던 점에 대해 대통령 사과를 공식 발표하고 해당하는 놈들을 모조리 제거해 버리는 게 가장 좋겠지."

도대체 이 두 사람이 모르는 것이 뭐가 있을까?

그렇더라도 셔먼은 확인이 필요했다.

"그 정도가 다윗의 별에게 충격이긴 하겠지만 그들의 숨통을 끊을 수는 없다. 그걸 모르지는 않을 텐데?"

"이렇게 숨통이 막혀 죽느니 그들도 전면전을 선택하지 않을까? 그때부터가 진짜 싸움이 되겠지. 한국에 가는 40퍼센트의 자금은 무슈 강이 그들과 싸우는 데 들어가는 자금이라고 생각하면 된다."

셔먼이 완벽하게 졌다는 투로 고개를 저은 다음이었다.

"알만 빈 지브릴과 약속한 내용이 뭐지?"

라노크의 질문이 시가 연기처럼 셔먼에게 날아들었다.

"감춘다고 해결되는 것은 없다. 이 시간 이후에 또다시 미국이 다른 얼굴을 보인다면 다윗의 별과 미국이 생존을 위한 싸움을 벌이게 만들겠다. 우리는 이긴 쪽과 손을 잡으면 되니까. 다윗의 별이 돌이키기 어려운 탐욕을 부렸다는 것을 잊어선 안 돼."

셔먼은 고개를 끄덕였다.

"사우디아라비아는 차세대 에너지 발전 시설을 건설 중이다. 먼저 영국의 정보국에게서 얻은 자료를 바탕으로 한국에 지진을 일으킬 계획이었고, 다음으로 차세대 에너지 시설로 다윗의 별에 합류할 생각이었다."

"미국이 얻는 것은?"

"아시아 지배권, 차세대 에너지 시설의 지분."

라노크가 이해한다는 것처럼 고개를 끄덕였다.

"그 정도면 수긍이 가지. 마지막이다."

"이제 더 감출 것도 없다."

"아프가니스탄에 UIS가 모여 있는 이유."

셔먼이 고개를 들어 라노크를 바라보았다.

"UIS가 나라를 세우겠다는 명분 뒤에 감춘 것, 한국의 특수팀이 그곳을 향하게 만든 이유, 그것이 뭔지를 알려 줬으면 싶다."

"알고 있을 것 같은데 굳이 내 입을 통해 확인해야겠나?"

"정보국의 신뢰는 사실을 털어놓는 데 있다는 것을 잘 알지 않나?"

셔먼이 참담한 표정으로 입을 열었다.

"첫 번째는 미스터 강의 제거."

바실리가 대놓고 픽 하고 웃음을 터트렸다.

"두 번째는 한국과의 전면전을 일으킬 명분을 얻는 것이었다."

라노크는 여전히 가면을 뒤집어쓴 차가운 얼굴이었다.

"UIS가 나라를 세우고 가장 먼저 성전의 대상으로 지정할 곳이 한국이었다. 아비부의 일에, 그동안 미스터 강이 했던 작전들을 공개하면 충분한 명분이 된다고 판단했었다."

"역시나 다윗의 별과 알만 빈 지브릴이 자금을 댔겠지?"

"그렇다."

"그래서 미국 특수팀이 직접 우두머리를 제거하지 못한다는 거였나? 무슈 강이 작전에 성공했을 경우, 대통령 선거에 필요하긴 하고, 밀약이 있으니 직접 나서서 제거하기는 어렵고?"

바실리가 비릿한 웃음으로 지켜보는 앞에서 셔먼이 고개를 끄덕였다.

"셔먼."

라노크의 부름에 셔먼이 고개를 들었다.

"미국이 강대국인 것은 인정한다. 하지만 유럽의 연륜과 러시아의 저력을 무시하지 마라. 거기에 새롭게 깨어난 중국이란 사자도 있지. 우리 모두는 무슈 강이 만들어 낼 정보국 세계의 새로운 질서를 기대한다."

셔먼이 바실리의 눈치를 빠르게 살핀 다음이었다.

"현장을 저렇게 장악한 인물은 없다. 우리 정보 세계에 저런 믿음을 준 인물도 없었다. 마지막으로 그는……."

라노크가 시가를 재떨이에 꽂으며 다시 입을 열었다.

"우리와 다르게 최소한의 정의를 안다. 이제부터 미국도 우리의 뜻에 따라 주었으면 싶다."

라노크가 말을 마친 다음이었다.

쪼르륵.

바실리가 보드카를 들어 잔에 채웠다.

쪼르륵. 쪼르륵.

3잔의 보드카를 채운 바실리가 가슴에서 권총을 꺼내 테이블에 올려놓았다.

달칵.

따르든가, 전쟁과 죽음을 택하든가.

거무튀튀한 권총의 총구가 분명하게 셔먼을 노려보고 있었다.

"셔먼?"

"잔인한 선택이군. 좀 부드러운 방법은 없었나?"

셔먼은 보드카의 잔을 들었다.

"유럽 정보국, 그리고 미스터 강에게……."

"무슈 강!"

바실리가 빠르게 호칭을 정정해 주었다.

"무슈 강의 지시에 따르겠다."

홀쩍.

셔먼이 두 사람을 기다리지 않고 보드카를 털어 넣었다.

⚜   ⚜   ⚜

아직 해가 보이지 않았지만, 사방이 밝아지고 있었다.

숲이 제법 우거진 산이다. 루카를 한눈에 내려다보는.

대원들이 주변을 완벽하게 돌아보았고, 다음으로 필요한 곳을 지켰다.

멀리 보이는 적의 근거지는 아예 모형 도시 수준이었다.

저 안에 적어도 천 명의 적이 있다. 그리고 그들을 모조리 죽여야 할지 모른다.

"강명구, 식사하고 8시까지 대원들 돌아가면서 재워."

"알겠습니다."

강명구가 빠르게 움직였다.

강찬이 적당한 곳에 앉은 다음이었다.

"밥 먹읍시다."

석강호가 씨-레이션을 들고 다가왔다.

최종일과 제라르, 우희승과 이두범이 곁에 있었다.

한국식 씨-레이션은 몇 가지 종류가 있었는데 이번에도 주먹밥이었다.

우걱우걱.

다들 주먹밥을 입에 넣었다. 이두범이 미숫가루에 물을 부어 흔들어서 옆에 놓아주었다.

"이 가루는 정말 기가 막힙니다. 마법의 가루입니다."

신기하게 제라르가 그 미숫가루를 제일 반겼다.

하기야, 비타민과 설탕을 잔뜩 넣어 두었으니 단 거 좋아하는 놈이 오죽 좋겠나.

미숫가루를 쪽쪽 빨아먹는 제라르를 보며 강찬은 피식 웃고 말았다.

서양 놈이 입술 옆에 밥풀을 붙인 꼴이라니!

이거야, 애를 키우는 것도 아니고.

강찬은 손을 뻗어 밥풀을 떼 주었다.

5분 만에 식사가 끝났다.

"먼저 자라. 한 시간 뒤에 교대하자."

"알았소."

석강호와 제라르, 최종일과 우희승이 바로 밥 먹은 근처에 몸을 눕혔다.

강찬은 소총을 어깨에 걸치고 한쪽 다리를 든 자세로 아래를 내려다보았다.

시선을 돌리자, 맨바닥에 몸을 눕힌 대원들이 보였다.

왼팔에 달린 태극기 하나를 위해, 사명감을 위해 적진 한가운데서 맨바닥에 누운 대원들이다.

영주권을 위해서, 저축을 위해서, 그리고 암울한 환경을 벗어나기 위해서 싸웠던 용병 때와는 전혀 다른 감정이었다.

멀리 보이는 산 위로 해가 머리를 내밀었다.

얼마 지나지 않아서 대원들이 감당해야 할 처절한 전투를 전혀 짐작하지 못하는 것처럼 찬란하게 빛나면서 말이다.

부스럭. 쩔걱.

그때 강명구가 조심스럽게 움직여서 강찬의 곁으로 다가왔다.

"안 잤어?"

"대원들 먼저 재웠습니다."

"앉아."

강명구가 강찬의 곁에 비슷한 자세로 자리 잡았다.

"커피나 한 잔 먹었으면 좋겠다."

강찬이 혼잣말처럼 중얼거릴 때였다.

강명구가 부스럭거리더니 허벅지의 보조 주머니에서 검은색 비닐 팩을 꺼내 건네주었다.

"뭐야?"

"커피입니다. 좋아하신단 말씀을 듣고 하나 챙겨 뒀었습니다."

강찬은 멍하니 강명구가 건네주는 커피를 보았다.

"나 잘했죠?"

강명구의 표정이 꼭 그랬다.

성의다. 그냥 성의인 거다.

이런 걸 여기까지 들고 왔다느니, 이럴 필요 없었다느니, 잔소리를 늘어놓는 것보다는 이럴 땐 그냥 받아서 맛있게 마셔 주는 게 제일 좋은 거다.

강찬이 받아서 비닐 팩의 한쪽 끝을 찢은 다음 기분 좋게 한 모금을 마셨다.

"좋은데?"

그런 다음 강명구에게 다시 디밀었다.

"커피는 나눠 마셔야 더 맛있다."

강명구가 얼른 받아서 입을 대지 않은 채로 한 모금을 마시고는 다시 건네주었다.

"꿈꾸는 것 같습니다."

강찬이 힐끔 돌아본 시선 앞에서 강명구는 적진을 바라보고 있었다.

"위민국 사건 때, 원장님을 잃었을 때, 국제빌딩 테러 후에, 이렇게 적의 본진을 공격할 수 있었으면 하고 정말 간절히 바랐었습니다."

강명구가 나직하게 말을 이었다.

"이렇게 해서 우리나라가 테러에 당당한 나라가 될 수 있다면, 제가 이름 없는 별이 되어도 억울하지 않을 거라고 골백번도 더 생각했었습니다."

"남은 식구들이 어떨지는 생각해 봤어?"

"했었습니다."

강명구가 고개를 끄덕였다.

"그래도 우리나라가 강해지는 게 우선이었습니다."

강찬은 피식 웃고 말았다.

어째서 강철규 때부터 강명구에게 이르기까지 이런 인물들은 끝이 없이 나오는 걸까?

대우가 부족하다고 생각했던 게 부끄럽게 느껴질 정도였다.

둘이서 적진을 보며 커피를 두어 번 나눠 마신 다음이었다.

쩔걱. 쩔걱.

대원 한 명이 빠르게 다가왔다.

"무전이 왔습니다. 비무장팀과 606이 뒤로 올라오고 있답니다."

강찬은 자리에서 일어나 산의 뒤편으로 움직였다.

쩔걱. 쩔걱. 부스럭. 부스럭.

아래쪽에서 어깨에 대검을 건 비무장팀과 완벽하게 무장한 606 대원들이 올라오는 것이 보였다.

누워 있던 대원들이 들려오는 소리와 바뀐 분위기에 퍼뜩 일어난 다음이었다.

비무장팀과 606대원들이 바로 앞까지 다가왔다.

강찬은 강철규의 얼굴을 바라보았다.

자질구레한 상처들이 딱지로 가라앉은 강찬과 새로운 상처들이 올라온 강철규.

'얼굴이 그게 뭐야?'

두 사람이 비슷한 표정으로 서로를 바라보았다.

그리고 마침내 대원들 전체가 다 올라왔다. 다들 반가운 눈인사를 주고받았다.

어쩐지 적진이 작아 보이는 느낌도 들었다.

"고생했어."

강찬의 말이 떨어진 직후다.

"일규와 동식이를 적진에 먼저 보냈다. 대강 살펴보고 오라고 했는데 저놈들이 일어나기 전에 둘러보는 게 좋을 것 같아서 그랬다."

강철규가 먼저 변명처럼 말을 건넸다.

"그리고 좀 챙겨 온 게 있는데."

그가 뒤를 돌아보았을 때였다.

비무장팀 대원들이 RPG 10기 정도를 강찬의 앞에 내려놓았다.

피식.

강찬은 그냥 웃음이 나왔다.

"두 분 돌아오면 거기에 맞춰서 작전 짜기로 하고, 우선 식사하고 좀 쉬어."

강철규가 고개를 끄덕였고, 대원들이 각자 편안한 곳에 자리 잡았다.

해가 완전히 산 위로 모습을 드러낸 시간이었다.

제9장

고생 많았다

바람이 아래에서 올라와 정상에서 휘돌았다.

주먹밥을 먹는 대원들에게 흙먼지를 뿌린 바람이 뒤늦게 무기를 알아챈 것처럼 화들짝 사라졌다.

완전한 아침이었다.

적은 아군의 침투를 모르려야 모를 수 없는 상황이었고, 남일규와 양동식이 저 속에 있는 거였다.

강찬은 계속 적진을 바라보았는데, 강철규와 비무장팀 대원들은 태연하게 주먹밥을 먹었다.

식사가 거의 끝났을 무렵이었다.

치잇.

"남일규입니다. 지금 올라가겠습니다."

남일규의 무전이 들어왔다.

그리고 5분쯤이 흐른 뒤다.

부스럭. 부스슥.

두 사람이 산 중간에서 모습을 드러냈다.

"고생하셨어요."

"반갑습니다, 부원장님"

'저 사람들이 저런 미소를?' 싶을 만큼 두 사람의 눈 끝이 달처럼 휘어져 웃고 있었다.

"식사 먼저 해라. 보고는 그 뒤에 하자."

"알겠습니다."

뭔 지상 최고의 명령을 들은 것처럼 두 사람이 주먹밥을 향해 달려들었다.

606 대원들이 미숫가루에 물을 겨우 부은 순간이었다.

두 사람이 손등으로 입술을 닦으며 돌아섰다. 입에 잔뜩 주먹밥을 담은 채로 말이다.

"선배님, 이것 좀 드십시오."

"응? 후배등이 이렁 거를 했성?"

"고망워, 잘 마싱게."

저게 떡이나 김치였어도 아마 두 사람을 마시고 말았을 거다.

저렇게 먹을 때는 몰랐다. 그런데 막상 보고 있자니 강찬조차 속이 꽉 막히는 기분이었다.

하여간 굳이 시간을 따지자면 미숫가루를 다 마시는 데까지 1분이 채 안 걸렸다.

"저기는 사실 위험하지 않습니다."

남일규가 나무토막을 집어 바닥에 막사들과 건물을 네모난 모양으로 표시했다. 그런 다음, 건물과 공간에 다시 동그라미를 겹쳐 그렸다.

"이렇게 지하 시설이 있습니다. 여기와 여기, 그리고 여기에는 기관총을 숨겨 놓아서 진입하는 순간 무조건 갈길 수 있게 만들어 놓았습니다."

이 개새끼들이!

그래서 우리가 들어온 것을 짐작하면서도 이렇게 태평한 척 있었던 모양이구나! 들어서는 순간, 한 방에 해결하려고!

강찬이 시선을 돌려 적진을 다시 한 번 살핀 다음이었다.

"여기가 좀 수상했습니다."

양동식이 세모꼴을 다시 표시했다.

"들어가 보려고 했는데 입구 경계가 워낙 살벌했습니다. 밖에 있는 놈들과 달라서 특수부대원으로 보입니다. 미사일? 좀 더 다른 뭔가가 있는 것처럼 보였습니다."

"거기까지 들어갔었어요?"

"예. 안을 확인하지 못해서 죄송합니다."

양동식이 진심으로 사과한다는 표정으로 입을 열었다.

고생 많았다

기가 막히다.

강찬뿐만 아니라 함께 듣고 있던 석강호, 최종일, 정원민과 강명구 역시 비슷한 표정이었다.

"이쪽 막사들에 인원이 좀 많았습니다. 그리고 여기 위로 토굴에 기관총이 설치된 것으로 봐서 주요 간부 놈들이 이곳에 있지 않나 싶습니다. 나머지 경비는 그저 그렇습니다. 매복해 놓은 기관총을 믿는 건지, 외곽으로는 아예 경계가 없었습니다."

마지막으로 남일규가 보충 설명을 한 것으로 적진 파악에 대한 보고가 끝났다.

강철규가 강찬을 바라보았다.

언제, 어떤 식으로 들어갈 생각이냐는 의미였다.

"아침을 먹고 나면 제일 팔팔할 때니까 우리도 좀 더 쉬지. 대테러팀 중에 그래도 좀 잤던 대원들이 있으니까 경계 맡기고 전부 한 시간씩 자. 작전은 그 뒤에 의논하기로 하고."

"알았다."

강철규의 답이 있고, 전원이 적당한 자리로 움직였다.

"대장도 한숨 자 두쇼."

"그래."

밤을 꼬박 새웠다.

전투가 이어진다면 모를까, 시간이 있는데 굳이 잠을 거

부활 이유는 없는 거다.

강찬은 있던 자리에서 길게 늘어지는 자세로 누웠다.

잠자는 거?

눈만 감으면 되는 거다.

그런데 이상하게 이런 곳에만 나오면 김미영의 얼굴이 또렷하게 떠오른다.

특유의 웃음소리, 동그랗게 뜬 눈.

강찬은 잠이 들었다.

⚜　　⚜　　⚜

"저 새끼들 좀 허술하죠?"

"그런 거 같다. 아무리 봐도 쿠드스는 아닌 것 같은데? 너 지금 뭘 보냐?"

방탄복을 바라보던 곽철호가 장난기 묻은 시선을 들었다.

"저런 애들한테 총알 맞고 넘어지는 건 뭡니까?"

"야 이……! 너 아까 상황 못 봤어?"

"봤습니다. 대검으로 찔렀던 놈으로 막았어야 하는데 그놈 멋지게 던지고 바로 총 얻어맞는 거요."

차동균이 말문이 막힌 얼굴로 바라보다가 푹 하고 웃음을 터트렸다.

네 번이나 밀고 올라왔던 적이 또다시 밀려 내려간 틈이다. 덕분에 적의 시체가 방어벽처럼 앞에 수북하게 쌓여 있어서 그만큼 여유도 생겼다.

"솔직히 아까 섬뜩했다. 그리고 새삼 대장이 대단했었구나 싶기도 했다."

"그렇죠."

곽철호가 고개를 끄덕이며 차동균의 말에 동조했다.

"그때 우리끼리 쿠드스를 만났다면, 아니 그 자리에 다른 나라 특수팀 놈들 다 있더라도, 대장이 없었다면 우린 살아남지 못했을 거다."

곽철호가 두 번째로 고개를 끄덕이며 시선을 아래로 돌렸다.

"저 새끼들 절반 이상 줄었습니다. 얼른 치우고 밥 먹읍시다."

"개새끼들, 그건 그렇고 경험이 정말 무섭다. 이런 전투에서 지금 같은 여유가 생기는 걸 보면 말이다. 그리고 우리 아직 한 명도 안 잃었다."

"에이! 한 명 있을 뻔했잖습니까?"

"이 새끼가, 또!"

차동균이 욕을 뱉은 뒤다.

그런 다음, 둘이서 킬킬거렸다.

부슈웅! 부슝!

그때 저격수의 총성이 울렸다. 그리고 기관총으로 다가가던 적 둘이 바닥에 처박히는 것이 연달아 시선에 들어왔다.

"탄알은 충분하지?"

"처음 도착할 때 챙겨 왔던 거로 충분합니다."

"밀고 내려가자."

곽철호가 아래를 힐끔 보았다.

"3선에 있는 애들 돌려서 저기하고 저쪽, 그렇게 바깥쪽으로 돌려. 양쪽에서 몰고, 우리가 밀고 내려가서 기관총만 손에 쥐면 한 방에 끝난다."

"알겠습니다."

농담하고 편하게 대할 때와는 다르게 곽철호가 다부지게 답을 했다. 차동균의 말이 농담인지 명령인지 정도는 구별하는 사이인 거다.

"5명씩 추려서 10명 보낸다. 그리고 너, 나, 윤상기, 1선에서 둘 더 뽑아라. 이러고 있다가 진짜 쿠드스가 가세하면 재미없다."

"준비하겠습니다."

차동균이 고개를 끄덕이자 곽철호가 빠르게 제자리로 돌아갔다.

⚜ ⚜ ⚜

퍼뜩.

강찬은 고개를 털며 상체를 벌떡 일으켰다.

긴장한 채로 잠이 들면, 거짓말처럼 일어나야 할 시간에 눈이 떠진다.

목을 좌우로 비틀고 바닥에서 일어섰을 때였다.

"여기 있소."

곁을 지키고 있던 석강호가 비닐 팩의 물을 건네주었다.

강찬은 먼저 한 모금을 마신 다음, 이마에 대고 물을 뿌렸다. 아프리카에서도 늘 하던 버릇이었다.

비닐 팩을 돌려준 강찬이 손으로 얼굴을 문대자 얼마 되지 않은 물기가 바로 사라졌다.

염병!

얼굴에 상처가 있는 걸 깜박 잊었다. 그래서 더럽게 쓰라렸다.

"인상 죽여줍니다. 눈빛하고 딱……."

"뭐?"

"그렇다는 거요."

듣고 있던 대원들이 얼굴을 돌리며 웃음을 감췄다.

하여간 뻔뻔한 거로는 이놈이 지상 최강일 거다.

강찬은 정신을 차린 후에 바닥에 그려진 그림과 적진을 다시 한 번 살펴보았다.

확실히 비무장팀의 위력은 무섭다. 이걸 이렇게까지 파고들어서 파악해 오다니.

그것도 캄캄한 밤이 아니라 날이 훤하게 밝은 날에 말이다.

"일단 모두 깨워."

"예."

대원 한 명이 움직였다.

손만 대면 알아서 눈을 뜨고 바로 몸을 일으킨다. 그래서 부스럭거리는 소리만 들릴 뿐, 말소리는 전혀 없었다.

잠시 후, 강철규와 양동식, 남일규, 최종일과 우희승, 이두범, 정원민과 강명구가 강찬의 주위로 다가왔다.

석강호와 제라르야 원래 한자리에 있었으니까.

"우선 팀별로 이곳까지 접근하겠습니다."

강찬은 나뭇가지를 들어 바닥에 그려진 그림 앞을 가리켰다.

"606, 3개 조로 나눠. 그래서 이곳과 이곳, 마지막으로 이쪽을 동시에 덮친다."

"예."

정원민이 고개를 돌려 위치를 확인했다.

"비무장팀은 606을 지원해. 기관총을 배치할 정도라면 다른 곳에도 비슷하게 준비를 했을 수도 있으니까 더 살펴 주고, 클레이모어나 다른 부비트랩이 있는지도 확인해 주고."

"알았다."

강철규가 단단하게 답을 했다.

"대테러팀은 작전과 동시에 나와 함께 레펠로 동굴로 들어간다. 2인 1조로 들어가서 안에 있는 적을 제거하고 그곳에 설치된 기관총을 확보한다."

"알겠습니다."

강명구가 고개를 끄덕이며 답을 했다.

"정원민, 작전이 시작되면 지하에 묻어 둔 기관총들을 향해서 RPG 갈겨. 저거 쏠 수 있지?"

"물론입니다."

"걱정했던 민간인 블록은 없는 모양이니까 준비가 끝나는 대로 출발한다."

강찬은 빠르게 제라르에게 프랑스말로 작전을 들려 주었다.

"너는 나랑 같이 동굴로 들어간다."

"Oui"

소총을 옆구리에 낀 제라르가 만족한 표정으로 답을 했다.

"설치지 말고!"

"병아리가 아니잖습니까?"

"하여간 몽골처럼만 해 봐!"

강찬은 시계를 들여다보았다.

마지막 전투를 앞두고 있었고, 어차피 위성 상태도 좋지 않았다. 그렇다면 차라리 전투를 끝내고 전화하는 게 맞다.

무엇보다 라노크가 다시 움직이고 있는 것을 알았으니 그가 알아서 무언가 조치를 해 줄 거라는 믿음이 컸다.

비무장팀과 606이 의견을 나누는데, 그리고 대테러팀이 동굴마다 인원을 정하는 데 잠깐의 시간이 흘렀다.

출발 직전이다.

각자 무기를 점검하고, 마지막으로 조심스럽게 노리쇠를 당기는 소리가 울려 나왔다.

편안한 분위기에서 작전을 설명하고 임무를 나눠 가졌지만, 다시 돌아왔을 때 이 자리에 모두가 있으리란 장담은 하지 못한다.

칼 같은 긴장감이 주변을 휩쓸고 있었다.

"이 작전이 끝나면 앞으로 그 어떤 단체도 대한민국에 함부로 총구를 겨누지 못하리라고 믿는다."

강찬은 좌우에 서 있는 대원들을 천천히 둘러보았다.

"작전의 목표는 저 안에 있는 UIS 전원 사살과 아군 전원의 무사귀환이다."

강찬을 보는 이들의 표정이 각양각색이었다.

'과연!' 하는 강철규와 비무장팀 대원들, '당연한 거 아냐?' 하는 석강호와 최종일, '역시 굉장하구나!' 하는 606과 대테러팀의 시선이 그랬다.

"질문?"

강찬의 마지막 말에 모두가 비장한 눈빛으로 서로를 바라보았다.

반드시 작전에 성공하자는 의지, 살아서 보자는 염원이 담긴 눈빛이었다.

"출발."

강찬은 대원들을 쭉 둘러본 후 몸을 돌렸다.

쩔꺽. 쩔꺽.

자세를 낮추고, 아래에서 이쪽을 볼 수 있는 각도를 줄여서 움직인다.

이제는 알아서 움직이는 대원들, 눈빛만으로 뜻을 알아듣는 최종일, 우희승, 이두범, 그리고 아예 한 몸처럼 움직이는 석강호와 제라르.

강찬은 선두에서 대원들을 이끌었다.

⚜   ⚜   ⚜

팽팽한 긴장감이 대원들과 죽은 적들의 시체 위를 뛰어다녔다.

언제 적이 달려들지 모른다.

모여든 날벌레와 파고들 자리를 찾아 시체를 타고 다니는 벌레들을 태양이 여과 없이 보여 주는 시간이었다.

3선에 있던 대원들이 몸을 감추기 위해 바닥에 붙어서

움직였다.

실탄을 충분히 지급했고, 수류탄도 주렁주렁 달았다.

네 번이나 밀고 올라오도록 방어만 했었다.

거기에 적들은 수적 우위를 믿고 어느 정도 방심하는 눈치였다.

단숨에 끝낸다.

지치고 사기가 꺾인 적에게 전열을 가다듬을 여유를 줄 이유가 전투에서는 전혀 필요 없는 짓인 거다.

치잇.

[준비 끝났습니다.]

기다리던 무전이 들어왔다.

차동균은 천천히 무전기의 버튼을 눌렀다.

치잇.

"이번 작전으로 이 전투를 끝낸다. 이 전투를 장군님이 보실 거고, 박 장군님이 결과를 기다리고 있으며, 대장이 눈으로 확인할 거다."

무전기를 놓았는지 '칙' 하는 배경음이 끊겼다.

아직 말이 안 끝났다. 분명하게 할 말이 남은 거다.

대원들의 시선이 차동균에게 향하는 동안 바람 소리, 적들이 뭐라고 지껄이는 소리가 마치 날카로운 침묵처럼 귀를 파고들었다.

치잇.

차동균이 버튼을 눌렀다.

"우리는 증평의 특수팀이다. 이 싸움에서 이기고, 대한민국을 테러의 위험에서 지켜 낸다. 너희와 함께라는 사실에 감사한다. 모두 준비."

대원들이 적을 향해 시선을 돌렸다.

"작전 개시!"

차동균의 말이 떨어진 직후였다.

푸슈슝! 푸슝! 푸슝! 푸슈슝!

적의 양옆에서 소총 연사가 터져 나왔고,

부슈웅! 부슝! 부슈웅! 부슝!

놀라서 튀어나온 적의 머리를 저격수들이 터트렸다.

푸슈슝! 푸슝! 푸슈슝! 푸슝! 부슈웅! 부슝! 부슝!

"가자!"

와락! 와락! 와라락! 와락!

차동균과 곽철호, 윤상기, 그리고 2명의 대원이 아래를 향해 달렸다.

투두둑! 투둑! 투두두둑! 투두둑!

당황한 적의 반격이 있었다.

그렇다고 멈출 것은 아니다. 적의 시체를 땅 삼아, 소총의 방아쇠를 당겨 가며, 차동균과 대원들이 악착같이 기관총을 향해 달려들었다.

투두둑! 투두두둑! 투둑! 투두두둑!

적들이 의지한 트럭 틈에서 총알이 날아들었다.

저격수가 막는 데는 한계가 있었다. 미사일을 막아 줘야 하는 거다.

투두둑! 투둑! 퍼벅! 투두두둑!

곽철호가 휘청인 다음, 앞으로 고꾸라졌다. 그러나 지금은 그를 돌아볼 겨를이 없었다.

투두두둑! 퍼버버벅! 투두둑! 퍼버벅!

이번엔 끝에서 달리던 대원이 몸을 흔들며 커다랗게 넘어갔다.

콰아악! 콰악! 콰악!

그리고 그 순간에 차동균과 윤상기, 그리고 함께 달린 대원이 기관총 달린 트럭에 도착했다.

부슝! 부슈웅! 부슝! 부슈슝!

저격수들이 빠르게 엄호사격을 가했고,

투두둑! 피비빙! 투둑! 따당! 투두둑! 따다당!

적들이 쏜 탄알이 트럭에 맞아 불꽃을 튀겨 냈다.

차동균은 잽싸게 트럭의 운전석을 타고 위로 올라갔다.

위로 오르다시피 서 있는 트럭이다.

뒤로 올라갔다가는 기관총을 돌리다가 허무하게 죽기 딱 좋았다.

끼이익. 철컥!

커다란 총구를 돌린 차동균이 팔을 커다랗게 움직여 기관

고생 많았다 • 323

총의 노리쇠를 당겼다.

그러고는 큼직한 방아쇠에 검지를 걸었다.

투타타타타타타! 투타타타타타타타! 투타타타타타타!

화끈한 소리가 귀청을, 매캐한 냄새가 코를 파고들었다.

퍼버버버버벅! 퍼버버버버벅! 퍼버버버버벅!

한순간에 전투의 모습이 확 바뀌었다.

거기에 윤상기와 마지막까지 견뎌 준 대원까지 기관총을 돌렸다.

개새끼들아!

투타타타타타타타!

줄줄이 빨려 들어가는 총탄이 반대편에 탄피를 쏟아 내며 앞으로 튀어 나갔다.

트럭이 깨져 나가고, 적의 몸뚱이가 찢겨 나가는 것이 고스란히 눈에 들어왔다.

약속한 일이다.

저격수를 제외한 대원들 전체가 앞으로 튀어왔다.

투타타타타타타! 투타타타타타타! 투타타타타타!

합류한 대원 중 둘이 비어 있는 기관총 2대를 잡았다. 그리고 남은 대원들은 소총을 옆으로 걸고 수류탄을 닥치는 대로 던져 넣었다.

콰으으웅! 콰으으웅! 콰으으웅! 콰으으웅!

전투라기보다는 아프리카에서 마지막 쿠드스를 잡을 때

처럼 일방적인 학살이었다.

상관없었다. 이런 전투가 대한민국을 향할 테러를 막을 수만 있다면!

충분하다고 할 만한 공격이 이어졌다.

심지어 옆으로 돌았던 대원들이 몸을 어느 정도 세운 채로 확실한 사격을 가하고 있을 정도였다.

그런데도 차동균은 여전히 방아쇠를 당겼다.

보고 배운 대로다. 마무리는 할 수 있는 데까지 확실하게 한다. 그것이 아군의 목숨을 최소한으로 담보하는 거다.

투타타타타타타! 쿠으응! 쿠웅! 쿠으응!

10분 넘게 일방적인 공격이 더 이뤄진 다음이었다.

차동균이 기관총을 놓고 소총을 들었다.

"기관총은 대기해!"

그는 트럭에서 뛰어내렸다. 그리고 빠르게 적의 근거지로 달려갔다.

피비린내가 훅 끼쳤고, 다음으로 처참하게 갈라진 적의 시체가 눈에 들어왔다.

꿈틀.

푸슉! 푸슉!

차동균이 꿈틀거리는 적의 머리를 향해 방아쇠를 두 번 당긴 다음이었다.

대원들이 뛰어들어 움직이는 적을 향해 연신 총을 갈겨

댔다.

 길었던 전투가 끝나 가는 시점이었다.

 두두두두두두두두두.

 그때, 멀리서 정체를 알 수 없는 헬리콥터 소리가 들렸다.

⚜ ⚜ ⚜

 치잇.

 [606 대기.]

 치잇.

 [비무장팀 대기.]

 무전이 들어온 후에 강찬은 빠르게 좌우를 살폈다.

 나무에 로프를 매단 대원들이 끝을 둥글게 말아 쥔 채 대기하고 있었다.

 이런 절벽은 한 번의 반동으로 바로 들어가야 한다.

 거기에 위의 동굴과 아래의 동굴에 도착하는 차이가 있어서 아래쪽을 노리는 팀이 먼저 내려가는 게 맞다.

 '준비됐지?'

 '됐습니다!'

 대원들이 강찬의 시선에 고개를 끄덕여 답을 했다.

 강찬은 무전기의 버튼을 눌렀다.

 치잇.

"레펠 1팀이 내려가는 순간 RPG를 갈긴다. 전원 작전 대기."

무전을 마친 강찬이 감아쥔 로프를 오른손에 들고 뒷걸음질로 절벽의 끝으로 다가갔다.

아직은 적에게 모습을 보이면 안 된다.

후욱. 후욱.

긴장이 올라오고, 날이 날카롭게 섰다.

그리고 늘 그랬던 것처럼 모든 것이 천천히 흘러가는 듯 느껴졌다.

하강을 시작하면 어떤 상황이 벌어질지 모른다.

만약 적이 소총을 들고 동굴의 입구를 지키고 있다면 한순간에 대원들이 총을 맞은 채로 30미터를 떨어지는 거다.

강찬은 눈을 번득이며 다시 한 번 좌우를 돌아보았다.

그래도 해야 하는 일이다.

강찬은 강명구의 눈을 똑바로 바라보았다.

'부탁한다.'

'염려 마십시오!'

"1팀 하강!"

휘이익!

아래쪽 동굴을 맡은 1팀이 로프를 뒤로 던지고, 뒷걸음질로 몸을 던졌다.

삐이이이융! 삐이이이융! 삐이이이융!

그와 동시에 RPG 발사 소리가 듬직하게 들렸다.

저 소리가 이렇게 느껴지는 건 또 처음이었다.

"2팀 하강!"

휘익! 휘이이익!

강찬을 시작으로 대원들이 로프를 뒤로 던졌고, 연달아 몸을 던졌다.

콰으으웅! 콰으으으웅! 콰으웅! 콰으웅!

폭발음이 커다랗게 들려오는 틈이다. 30미터 가까이 되는 아래로 몸이 떨어지고 있었다.

발로 커다랗게 차서 밀려난 공간으로 떨어지다 정확한 순간에 레펠을 당긴다.

그러고는.

파라라! 파라라라!

귓가로 들리는, 눈으로 파고드는 바람을 이겨 내며 적을 노린다.

눈을 부릅뜰 수도 없다. 밝은 곳에서 어두운 곳을 들어갈 때는 감다시피 윤곽만 확인하고 들어가는 거다.

불쑥!

동굴의 입구가 강찬에게 달려드는 것처럼 파고들었다.

어렴풋이 윤곽만 잡힌 적이다.

당황한 것처럼 동굴 밖으로 움직이던 적을 향해 강찬이 방아쇠를 당겼다.

푸슝! 퍼억! 푸슝! 퍼억!

두 놈의 이마가 터지며 뒤로 커다랗게 넘어지는 순간이었다.

푸슈슝! 퍼벅!

곧바로 따라 들어온 제라르가 남은 적에게 두 발을 연속으로 갈겨 댔다.

철컥! 철컥!

구석에 책상, 의자, 바닥에 이마가 뚫려 죽은 적.

안쪽에 책 몇 권. 소총, 물.

둘이서 소총을 돌려 가며 동굴을 뒤졌지만, 그게 전부였다.

아직은 이 중에 간부가 있는지 확인하기 어려웠다.

투두둑! 푸슝! 푸슈슝! 푸슝! 푸슈슝! 투두둑!

그리고 적진에서는 교전이 한창이었다.

치잇.

[1조 동굴 확보.]

치잇.

[2조 동굴 확보.]

무전은 연달아 들어왔다.

뭐가 이렇게 쉬워?

강찬은 빠르게 무전기 버튼을 눌렀다.

치잇.

"기관총이 있는 동굴은 일단 기관총을 사수하고, 그 외 동굴에 있는 대원들은 아래로 내려가서 606을 지원한다. 606! 동굴에서 내려간다. 엄호해!"

치잇.

[잠시만 기다리십시오!]

투두두둑! 투둑! 투두두둑! 투두둑!

푸슝! 푸슈웅! 푸슈웅! 푸슈웅! 푸슈웅! 푸슈웅!

소총 소리가 뒤엉켜 들렸다. 어쩐지 좀 멀리서 들리는 느낌이었다.

치잇.

[암호 대기! 내려오셔도 됩니다!]

무전을 통해 정원민의 음성이 들렸다.

"제라르! 아래로 내려간다!"

"Oui!"

말을 마친 강찬은 로프를 잡고 다시 몸을 던졌다.

휘익! 콱! 휘이이익!

꼭 한 번 발을 디딘 강찬이 바로 바닥에 내려섰다.

철컥.

그리고 소총을 겨누며 몸을 돌렸을 때 제라르가 그의 곁을 지켰다.

푸슝! 푸슝! 푸슝! 푸슝! 푸슝!

적은 사방에 널려 있었다.

강찬과 제라르가 적을 사살하고 있을 때, 석강호, 최종일, 그리고 대테러팀 대원들이 바닥에 내려섰다.

이들의 실력이 어디 허술하기나 한가.

방아쇠를 당길 때마다 적들은 이마와 머리통이 터지며 기괴한 자세로 무너지거나 날아가는 것처럼 처박혔다.

그런데 상황이 좀 묘했다. 적들이 소총을 향해 달려든다는 느낌이었다.

하긴 적진에서 벌어지는 전투니까 적이 달려드는 것이 이상한 건 아니다.

그러나 적이 게임 속에서 포인트를 올리라는 것처럼 달려들었다가, 대원들을 발견하고는 어쩔 줄 몰라 하는 건 정말 이상한 것 맞다.

그러다가 총알을 맞고 쓰러지다니?

일단 적이다.

강찬이 달려드는 적을 쓰러트릴 때였다.

양동식과 비무장팀 대원들이 양 떼를 덮친 늑대처럼 모습을 드러냈다.

이거 때문인가?

강찬이 사격을 멈추고 상황을 지켜보았다.

대테러팀, 이어서 606까지 겨누기만 할 뿐 아군과 뒤엉킨 적에게 방아쇠를 당기지 못했다.

우르르르!

적들이 아군의 틈을 벗어나 산으로 달리다가 다시 606 대원들에게 놀라 돌아섰다.

그러나 그곳엔 양동식이 있었다.

파악 퍼지는 한 놈의 머리칼을 양동식이 낚아챘다.

"알라- 아!"

놈이 겁에 질린 채로 울부짖는 순간이었다.

"개새끼야! 그러게 왜 대한민국을 우습게 보고! 왜! 우리 국민을! 왜! 우리 반짝이는 우리 후배들을 노리냐고!"

스거억!

양동식이 적의 목을 대검으로 다부지게 그었다.

하얗게 살이 먼저 갈라진 것이 보이고, 삽시간에 갈라진 틈으로 피가 배었다가, 이어서 세차게 뿜어져 나왔다.

서거억! 서걱!

양동식은 이를 악문 채로 적의 목을 결국…….

그 와중에도 이곳저곳에서 비무장팀 대원들에게 잡힌 적의 처절한 외침과 비명이 울려 퍼지고 있었다.

이걸 말려야 하나?

강찬이 고개를 돌렸을 때였다.

강철규가 소총을 오른쪽 어깨에 건 채로 걸어왔다.

질질질. 지이이익.

그리고 그를 따라 남일규와 비무장팀 대원이 모두 12명의 적을 끌고 왔다.

정말 바닥에 질질 끌고 온 거 맞다.

둥그렇게 포위한 적진이다.

적들이 이리저리 도망 다니고,

양동식과 비무장팀 대원들이 그들을 악착스럽게 쫓아다니며 대검으로 목을 끊고 있었으며,

강철규는 12명의 적을 끌고 온다.

푸슝! 푸슝! 푸슝! 푸슝!

무기를 드는 적은 여지없이 아군의 총에 머리가 날아갔다.

"동식이가 말한 지하 밀실에 숨어 있던 놈들이다. 간부들인 것으로 보인다."

남일규가 그중 한 놈의 머리끄덩이를 잡아서 앞으로 가져왔다.

이미 코와 주둥이가 깨졌고, 허벅지에 총상을 입은 상태였다.

강찬은 고개를 끄덕였다.

강철규가 시선을 돌린 순간이었다.

스응.

남일규가 곧바로 어깨에서 대검을 꺼냈다.

"알라후 아크바르!"

푸욱!

남일규의 대검이 적의 귀를 파고들었다.

"끄으윽!"

스읗! 푸욱!

남일규는 대검을 뽑아서 곧바로 다시 목을 찔렀다.

서거억! 서걱!

그러고는 끝내 적의 목을 잘라내 버렸다.

질질질.

다음 놈 차례다.

강찬이 고개를 끄덕이자 좀 전과 비슷한 모습이 펼쳐졌다.

이 짓을 열 번을 더해야 하는 거다.

또다시 새로운 놈이 끌려왔다. 그런데 놈을 본 강찬은 입끝을 올렸다.

와랍 아메디, 아프가니스탄 UIS 총책임자.

저벅저벅.

강찬은 놈에게 다가갔다. 그리고 와랍 아메디의 눈을 똑바로 노려보았다.

겁에 질린 눈이었다. 그러면서도 아비부처럼 그 뒤에 교활한 무언가를 감추고 있었다.

이빨과 발톱을 드러낼 그 기회를 말이다.

"잘 봐."

한국말이다. 그래서 남일규가 강철규를 슬쩍 돌아보았다.

"우리가 대한민국 군인이고, 이 국기가."

강찬은 왼쪽 팔을 돌려 보였다.

"태극기다. 잘 기억해. 그리고 죽어서라도 태극기를 단 군인은 마주치지 마. 그때도 이렇게 될 테니까."

강찬이 상체를 세우자 와랍 아메디가 아랍어를 쏟아 냈다.

"협상을 하자는 거요."

석강호가 놈의 말을 전해 주었다.

피식.

강찬은 대검을 꺼내 들었다. 이들에게만 죄를 짓게 할 수는 없었다.

그 순간이었다.

"더러운 피는 사라질 우리 손에 묻히겠다. 너와 후배들은 이런 일을 하지 않아도 되는 대한민국을 만들어서……."

강철규가 강찬을 똑바로 바라보며 말을 건네고 있었다.

"그 뒤에 설 후배들은 이런 피를 묻히지 않아도 되는 세상을 만들어라."

강찬은 굳은 것처럼 듣고만 있었다.

대한민국 특수팀의 전설이 지금의 지휘관에게, 특수팀의 선배가 현재의 후배에게, 그리고 아버지가 아들에게 전하고 싶은 말이었다.

인정할 수밖에 없었다.

그만큼 지금의 강철규는 전설로, 특수팀 선배로, 그리고 아버지… 로 받아들일 수밖에 없는 모습이었다.

강찬이 한 걸음 물러나 고개를 끄덕이자 곧바로 남일규가 달려들었다.

"앞으로!"

푸욱!

"끄아- 아!"

"대한민국과!"

푸욱!

"끄- 윽!"

"태극기를 절대 함부로 대하지 마라!"

푸욱! 서걱! 서거억!

털썩.

숨이 끊어지면 어차피 다 저렇다.

정말이지 다른 놈들과 다를 바 없다.

수니파니, 시아파니, UIS니, 그 염병을 떨어도 죽으면 저렇게 되는 거다.

왜 굳이 그 지랄로 다른 사람의 삶을 우습게 알다가 명분도 동정도 전혀 못 받고 저런 꼴로 죽어 가는 건지.

"나머지는 한꺼번에 치워라."

강철규가 고개를 돌리고 말을 전하자 비무장팀 대원들이 잡고 있던 적들을 한꺼번에 해결했다.

그동안 남일규는 적의 대가리를 주섬주섬 들었다.

"서울 구경시켜 주고 오겠습니다."

강철규가 고개를 끄덕여서 강찬은 다른 말을 하지 않았다.

"이곳에서 살아남는 놈이 있다면 앞으로 대한민국의 군인만 봐도 공포심에 몸이 굳는다. 말을 전해 들은 놈들도 비슷한 공포를 얻는다."

강철규가 부연 설명처럼 말을 하고는 의아한 눈으로 적들을 바라보았다.

"간부들을 체포한 순간부터 갑자기 오합지졸이 되는데 UIS가 원래 이런 놈들인 거냐? 내가 보기에는 숨어 있을 때나, 약자 앞에선 한없이 잔인하고, 강자 앞에서는 무조건 꼬리를 내리는 그런 더러운 놈들로 보인다."

강찬은 시선을 들었다.

전투 현장의 모습이 묘해서 웃을 수도 울을 수도 없었다.

둥그렇게 포위된 가운데에서 몇백 명의 적들이 이리저리 뛰어다니고, 그 틈을 양동식과 비무장팀 대원들이 휘젓고 있었다.

물론 UIS는 끔찍한 짓들을 저지르는 집단이다.

강찬 역시 아프리카의 부족 전쟁에서, 그리고 쿠드스와의 전투에서 악착같이 적을 다 죽인 적은 있었다.

그렇지만 이건 또 좀 다른 게 아닐까?

생각은 많았는데 당장 말리기는 어려웠다.

이건 철저하게 강철규와 비무장팀 대원들의 판단이고, 영역이란 생각이 들어서였다.

게다가 저들도 저 짓이 좋아서 하지는 않는다는 것만은 분명했다.

강철규의 말대로 악역을 맡고 나선 거다.

여기 있는 대원들 모두가 나서서 당겨야 할 방아쇠를 비무장팀이 대신하는 거다. 좀 다른 방법으로 말이다.

양동식이 또 한 명의 적을 낚아채서 바닥에 넘어트린 다음이었다.

적의 사타구니가 젖은 것이 분명하게 보였고, 다음으로 양동식이 대검을 휘두르는 것이 눈에 들어왔다.

그 순간이었다.

두두두두두두두두.

멀리서 헬기 소리가 들렸다.

강찬이 힐끔 시선을 돌렸을 때였다.

"프랑스 외인부대 특수팀입니다. 부총국장님은 응답 바랍니다."

무전이 들렸다.

"강찬이다. 이쪽은 상황이 종료됐지만, 혹시 모를 미사일 공격은 대비해서 움직이도록."

"알겠습니다."

강찬은 무전을 통해 프랑스 외인부대 특수팀이 도착했다

고 알려 주었다.

두두두두두두두.

무전이 끝나고 얼마 지나지 않아 헬기가 모습을 드러냈다.

우르르르르르!

기가 막힐 일이 또 벌어졌다.

적들이 헬기를 향해 팔을 흔들며 달려들고 있었다.

"지금 구조를 요청하는 것이 적이 맞습니까?"

심지어 헬기에서 확인할 정도였다.

"적이 맞다."

"사살합니까?"

"그럴 필요 없다. 적당하게 피해서 착륙해."

"알겠습니다."

헬리콥터가 내려앉을 때쯤 강철규가 무전기 버튼을 눌렀다.

"적이 도주하지 못하게 가운데로 몰고 끝낸다."

그의 무전이 끝나고 얼마 지나지 않아 적들이 공포에 질린 얼굴로 한가운데로 몰려들었다.

그 바람에 외곽 여기저기에 널브러진 목을 잃은 시체들이 더욱 처참하게 보였다.

헬기에서 내린 외인부대 특수팀이 우르르 달려와서 강찬의 앞에 섰다.

그들은 강찬보다 제라르가 더 반가운 표정이었는데 전혀 서운하지 않았다.

이럴 땐 제라르를 좀 돋보이게 해 주는 것도 나쁘진 않은 거다.

부총국장의 총애를 받는 전 특수팀 사령관?

한숨이 절로 나오는 짓이긴 하다.

"제라르! 외인부대 대원들로 외곽 경계 세우고, 헬기로 가서 중앙 교신으로 위성 방해 풀라고 해. 증평 특수팀 상황 확인하고."

"알겠습니다."

제라르가 명령을 전하자 특수팀 지휘관이 빠르게 지시를 마쳤고, 함께 헬리콥터로 움직였다.

치잇.

"606! 중앙으로 이동."

치잇.

[606, 이동.]

치잇.

"동굴에 남은 대테러팀 철수."

치잇.

[예.]

해가 머리끝에 있었다. 그리고 갑자기 목이 말랐다.

"물이 남았나?"

대원 한 명이 비닐 팩을 가져다주었다.

힐끔.

이런 건 참 어렵다.

강찬은 강철규에게 먼저 건넸다.

피식.

강철규는 마치 네 속을 다 안다는 듯한 얼굴이었다.

"우리 대원들과 저쪽에서 좀 쉬겠다. 담배를 구해 줄 수 있나?"

그 정도야 뭐.

강찬은 제라르에게 담배를 가져오게 해서 담배 두 갑과 라이터를 건네주었다.

"10분쯤 뒤에 돌아오겠다."

강철규가 대원들과 함께 숲 한쪽으로 움직였다.

어쩐지 비무장팀 대원들과 함께 후배들을 위해 자리를 비워 주는 현실을 보는 것 같아서 마음이 편치만은 않았다.

그렇다고 담배를 함께 피울 수는 없는 거다.

"제라르! 담배 세 갑만 더 달라고 해서 가져와!"

"여기 있소."

석강호가 냉큼 달려와 담배를 내밀었다.

"야! 너도 이놈들 담배가 얼마나 쓴지 알잖아! 일단 제라르가 가져오는 거 먼저 피우자."

제라르가 담배를 들고 다가왔고, 강찬을 시작으로 대원들 전체가 담배를 입에 물었다.

찰칵. 찰칵.

"후우!"

절벽에 기대앉은 강찬은 길게 담배 연기를 뿜었다.

"앉아서들 쉬어."

외인부대 특수팀이 경계를 서 주는 상황이었다. 대원들 역시 편안한 자세로 주변에 주저앉았다.

"이동용 헬기를 곧 보내겠답니다. 그리고 증평 특수팀은 적을 모두 사살했고, 꽉과 대원 한 명이 부상을 입었답니다."

강찬의 표정을 본 제라르가 빠르게 말을 이었다.

"두 사람 모두 다리에 총상을 입었는데 러시아팀과 독일팀에서 응급조치를 취했고, 생명에는 지장 없답니다."

말을 마친 제라르가 강찬의 옆에 놓인 새 담배를 입에 물었다.

찰칵.

"후우. 풋! 담배 맛이……."

"그러게 왜 그걸 피워?"

제라르가 새 담배를 찾을 때였다. 특수팀 대원이 기쁜 얼굴로 제라르에게 달려와 담배를 건넸다.

"뵙게 돼서 영광입니다."

제라르가 힐끔 시선을 들었다. 얼굴을 모르는 대원인 듯 보였다.

"살르몽입니다, 사령관님. 사령관님 전설 듣고 특수팀에 들기 위해 노력했습니다."

놈이 공손한 태도로 건넨 담배다.

제라르가 강찬의 눈치를 슬쩍 살핀 다음, 담배에 불을 붙였다.

그래, 지금은 너 용 돼라.

강찬은 모른 척하고 담배 연기를 길게 뿜었다.

끝나 간다.

이번의 긴 전투도.

이 정도라면 이제는 온전히 특수팀에게 작전을 맡겨도 충분하다는 생각이 들었다. 그리고 끝났다는 생각이 들어서 그런지, 붕대를 말아 꽂아 놓은 자리가 사정없이 욱신거렸다.

⚜ ⚜ ⚜

김형정이 고건우의 집무실로 뛰다시피 들어섰다.

"작전이 모두 끝났다는 보고가 들어왔습니다. 적의 주요 간부 12명을 모두 제거했답니다. 아군 사망 6명, 부상 7명입니다."

고건우가 의아한 눈으로 김형정을 보았다.

이럴 때는 보통 사살이라고 하지, 제거라고 하지는 않는다. 하지만 그런 사소한 것보다는 아군 사망자의 소식이 마음에 걸려서 당장 그걸 질문하지는 않았다.

"대통령님께 보고하겠습니다. 공군작전사령부에 우리 전투기 귀환 명령을 전하세요."

"그렇게 하겠습니다."

"귀환하는 우리 대원들 대접, 그리고 희생된 대원들의 예우에 특별히 신경 써 주었으면 합니다."

"예, 원장님."

고건우가 자리에서 일어났다가 무언가 생각난 것이 있는 것처럼 김형정을 보았다.

"아! 그리고……."

김형정이 그의 말을 기다리며 시선을 들었을 때였다.

"이번 작전에 고생 많았다, 김 팀장."

고건우가 불편한 얼굴로 편안한 말을 건네고는 황급히 집무실을 나섰다.

22권에 계속

www.mayabooks.co.kr

www.mayabooks.co.kr